英語キャッチコピーのおもしろさ
Reading Beyond Headlines

青木 茂芳
Aoki Shigeyoshi

大修館書店

まえがき

　新聞や雑誌の広告というのは，古くは会社や製品の名前だけを書いたものであった．

　1920年代にアメリカで広告産業がめざましく発展し，やがて他社製品との比較をして自社の優秀性を宣伝しようとする比較広告が流行し始めた．それ以後アメリカでは広告の手法として定着している．

　比較広告で比較するのは，当然のことながら自社に有利な項目だけである．比較広告は必然的に，他社や他社製品の悪口を言うことになる．頭痛薬のバファリンとアナシンの場合がその典型例であった．アナシンが「最も早く痛みの消える頭痛薬として，医者はアナシンをすすめています」とやると，これに対抗してバファリンは「最も胃にやさしい頭痛薬として，医者はバファリンをすすめます」と切り返した．また，コカコーラとペプシコーラの比較広告は 167ページで触れるように，「コーラ戦争」として有名である．

　その後他社との比較ではなく，自社製品のイメージアップだけを狙った新しい広告の方法が生まれた．イメージ広告である．家具の宣伝に rare と welldone が使われ，ペアのバスローブに bothrobe という商品名が付けられるなどである．

　新聞の広告は，ふつう次のような構成になっている．

　　1．ヘッドライン
　　2．イラスト
　　3．ボディコピー（製品などの詳しい説明）
　　4．製品名，会社名等
　　5．シグネチャーライン（広告主の住所，電話番号等）

　新聞広告はテレビや雑誌の広告と比べると，音声も，動きも，鮮やかなカラーグラビアもない．そのハンディを逆に利用したのが，言語的な工夫である．イラストと言語的な手法がうまく調和すれば効果は大きい．

　広告のヘッドラインにはさまざまな工夫が凝らされる．聖書が，シェイクスピアが，映画のせりふが引用され，子どもの遊びや，早口

ことばが使われる．punと呼ばれる語呂あわせや駄洒落を使った言葉遊びは特に多い．旅行案内パンフレットを2冊無料で差し上げますという広告のヘッドラインは"One, two, free!"となっている．コンピュータ会社IBMはデカルトの言葉をもじって"I think, therefore I B M."とその優秀性を宣伝した．

　英語の広告にはこのようなおもしろさや楽しさがいっぱい詰まっている．ヘッドラインには，英語圏の文化がいっぱい含まれている．

　筆者は1980年文部省と英国文化庁による「大学英語教員等連合王国派遣プログラム」に参加し，レディング大学の応用言語学センターで学ぶ機会を得た．そこでの応用言語学の講義が「広告英語」との出会いであった．その後，イギリス，アメリカの新聞，雑誌の広告を集めてきた．

　本書は20年にわたって集めた新聞広告のファイルの中から約100の興味あるコピーを選び，引用，言葉遊び，慣用表現，さまざまな表現法と大きく4項目に分類して解説を加えたものである．広告の中では言葉は生き生きと躍動している．本書のタイトルにある「キャッチコピー」という用語は躍動する広告言語を総称する和製英語である．最もふさわしい言葉としてあえてタイトルに用いた．

　興味にあわせてどこからお読みいただいてもよいと思う．音の楽しさ，修辞学的なさまざまな表現，引用の妙味など，英語のおもしろさを味わえるよう工夫した．英語に興味のある方にはますます英語を好きになっていただきたいし，英語が嫌いだった人には，「英語もおもしろいじゃないか」と思っていただきたいと願っている．

　この本に例として取り上げたコピーすべての作者（コピーライター）とスポンサーに心から感謝と敬意を表するものである．

　2000年1月

　　　　　　　　　　　　　　　　　　　　　　青木茂芳

もくじ

まえがき　　　　　　　　　　　　　　　　　　　　　　　1

Part-1. 聖書・文学作品・映画・歌

旧約聖書	Let there be light. （光あれ）	12
新約聖書	three wise men （3人の賢者）	14
『ハムレット』	To be or not to be... （生きるべきか死ぬべきか…）	16
	poor Mrs Yorick （おかわいそうなヨリックの奥さん）	18
『夏の夜の夢』	What sort of person... （いったい誰が…）	21
『ロミオとジュリエット』	What's in a name? （名前なんて）	24
『イン・メモリアム』	Ring out the old （ベルを鳴らして送り出せ）	26
『二都物語』	A Tail of Two Cities （二都尾の語り）	28
「クリスマス・キャロル」	Christmas presents （クリスマス・プレゼント）	30
『八十日間世界一周』	Round the World in 80 Ways （80通り世界一周）	33
「ジャックと豆の木」	a bean to your name （自分名義の豆）	36
「マイ・フェア・レディ」	mainly Spain （ほとんどがスペイン）	39
「カサブランカ」	"Play it again, Sam." （「もう一度弾いてよ，サム」）	42

「思い出のグリーングラス」	The Green, Green Grass of Home (故郷の緑濃き芝生)	45
「はにゅうの宿」	Home Sweet Loan (家にやさしいローン)	48
「蛍の光」	auld acquaintance (古き友)	50
「ジングル・ベル」	laugh all the way (笑って行こう)	52
「ホワイト・クリスマス」	dry Christmas (ドライ・クリスマス)	54

Part-2. 異義・造語・音の利用

二重の意味	The customer is always right. (お客様はいつも正しい)	56
	the class struggle (階級闘争)	58
	Whatever ... in London. (ロンドンには何でも)	60
	Check Mates (チェック友達)	62
	sunny-side up in Madeira (マデイラで目玉焼き)	63
類　語	the 1st name (第1位)	64
	no rivals, merely competitors (競争相手)	66
	Old Fashioned (オールド・ファッション)	68
縁　語	look in the Mirror (ミラーをご覧)	69
	holiday nests (休暇用の巣)	70

造語・新表現	Estatesmanship!	72
	（不動産屋精神！）	
	fax hunting	74
	（ファックス・ハンティング）	
	Now or Never Sale.	75
	（最初で最後のバーゲンセール）	
	Polyphone-in	76
	（かけようポリ電話）	
ふざけ音	Snow, snow, quick	79
	（スノー，スノー，クイック）	
	Jet set... ...Go!	80
	（オーイ…ドン！）	
	Thingumajig	82
	（だれだっけ）	
	One, two, free!	85
	（ワン，ツー，フリー）	
	One mile in three for free.	86
	（3分の1は無料）	
頭　韻	Battles, bands and banquets	88
	（模擬戦と音楽とごちそう）	
脚　韻	can't SELL, don't TELL	91
	（言わないと売れない）	
母　韻	Air Fares Fair	92
	（航空運賃総展示会）	
類音反復	railway to runway	94
	（列車から滑走路へ）	
	simmered, ...summered	96
	（湯気の中で避暑）	
	More verve. Less derv.	98
	（より強く．より安く）	
視覚韻	Vantastic value!	100
	（嘘のようなもうけ）	
擬　音	Z Z Z Z Z......£	102
	（グーグーグーガー…カーネー）	

Part-3. 比喩・慣用表現・ことわざ・故事

比　喩	Free as a bird. (鳥のように自由)	106
	Fee as a bird. (鳥のように自由な料金)	108
	swollen belly (大きなおなか)	110
慣用表現	Keep the change. (変化を続けよう)	112
	Mind your own business. (仕事を大事に)	115
	Take your time! (ごゆっくり)	116
ことわざ	Seeing is believing! (百聞は一見にしかず)	117
	Practice makes perfect. (習うより慣れよ)	120
	The pen is mightier... (ペンは強し)	122
	early bird (早起き鳥)	124
	A cheque in the hand... (手中の1枚)	126
	Everything comes to him... (待てば海路の)	128
	look before (念には念を)	130
	too many Cooks (船頭多くして)	132
	Penny wise. Pound foolish. (安物買いの銭失い)	134
故事・格言	the last straw (最後の1本)	137

	"I think, therefore I B M." (我思う，故に我IBM)	140
	United we stand. (三矢の教え)	143
ニックネーム	The Bug (かぶと虫)	146
	Cat (猫)	147
	Apple, Orange (リンゴ，オレンジ)	148
	Apple (アップル)	150

Part-4. 遊び・さまざまな表現法・色・その他

遊 び	How to play ladders (すごろく)	152
	Eeny ~ meeny ~ miny ~ mo (どれにしようか)	154
	Knock, knock (トントン)	156
早口ことば	seashells in the Seychelles (セイシェルの貝殻)	159
絵文字	Have a happy Harrods (ハロッズでお買物)	162
	This is the age of the train. (いまや列車の時代)	164
X字型交錯法	Coca-Cola ― Coke (コーラとコーク)	167
婉曲語法	British jobs (イギリス人の仕事)	168
前後転倒法	Winter was invented for... (冬が発明されたのは)	171

交錯配列法	City living in the living City （活気ある町，都会生活）	*174*
矛盾語法	costs 80p （80ペンス）	*176*
誇張法	Prepare for war. （戦争に備えよ）	*178*
	take off your clothes （裸になる）	*180*
	If you die （あなたが死んだら）	*182*
連辞畳用	She collects as she cuts as she drives. （便利な芝刈り機）	*185*
色	black and white （黒と白）	*186*
	red and pink （赤とピンク）	*188*
数　式	2D （お得な蛍光灯）	*190*
心に訴える	room in your heart （心の部屋）	*192*
──	No comment. （ノーコメント）	*196*

あとがき	*197*

英語キャッチコピーのおもしろさ

Part-1
聖書・文学作品・映画・歌

旧約聖書

Let there be light.
光あれ

Let there be light

CORDA was formed last year to provide a focus for **CAP Scientific's** Operational Analysis business. The Centre for Operational Research and Defence Analysis is dedicated to the application of operational research and defence analysis skills to defence, civil government, commerce and industry. We also market an exceptional range of mathematical programming software packages including LAMPS, MAGICLAMPS, LANTERN and Pritsker and Associates' simulation package SLAM.

Employing over 60 staff on 25 projects, CORDA is already one of the UK's largest OR and OA establishments. We need more of the brightest intellects in OR, defence analysis and scientific computing to join us – and in particular

SENIOR DEFENCE CONSULTANTS

A creative practical approach is vital to our work. If you are eager to develop your career in Operational Analysis but are starved of opportunity and are in danger of being diverted into systems design, this is your opportunity to grow quickly along a technical or managerial route in a more enlightened environment. In your late 20's to mid 30's you must have at least 5 years' experience, most of it in defence applications, and must demonstrate an innovative but sound and mature approach to shaping questions and formulating strategies for solutions.

SCIENTIFIC PROGRAMMERS

Your current job description may not be that of Operational Researcher or Defence Analyst, but probably you are becoming increasingly interested in assessing system options. What you *must* have is 1-3 years' experience in a scientific programming environment doing software development for a defence contractor, software house or similar.

SOFTWARE PACKAGE SALES MANAGER

Taking over our software product range you will market special application variants plus appropriate support contracts in the UK and Europe. Presenting to high level decision makers, you will require at least 5 years' experience of selling state-of-the-art mathematical programming or simulation packages, or a successful record of Software Product or Service Sales. You must be capable of planning, organising and successfully executing a product sales campaign. Excellent communication skills and a high degree of credibility and presentation will be essential.

Our emphasis on quality, performance and intellectual freedom creates a stimulating career environment. We insist on recruiting only high calibre professionals. Applicants will normally be graduates of a numerate science. Our salaries and benefits are set by our belief in recognition and reward for ability and effort.

CORDA can measurably brighten your career. For further enlightenment and an application form, please write to Dr Peter Bruton, **CAP Scientific**, 20-26 Lambs Conduit Street, London WC1N 3LF or telephone 01-831 6144.

コンピュータソフト会社コーダ（CORDA）の求人広告である．

新聞広告は音声も動きもないので，ヘッドラインが重要になる．聖書や文学作品など，人口に膾炙した言葉や文章などがよく使われるが，コーダが選んだのは聖書であった．

旧約聖書の「創世紀」第1章は次のように始まる．
　　　始に神は天と地を創造された．
　　　地は形なく，むなしく，
　　　闇が淵のおもてにあり，
　　　神の霊が
　　　水のおもてをおおっていた．
　　　神は「光あれ」と言われた（And God said, Let there be light）．
　　　すると，光があった．
　　　神はその光を見て，良しとされた．
　　　神はその光と闇とを分けられた．
　　　神はその光を昼と名づけ，
　　　闇を夜と名づけられた．
　　　夕となり朝となった．
　　　これが第一日である．　　　　　　　　（『旧約聖書』日本聖書協会，1955）

コンピュータソフト会社は，今でこそ時代の最先端を行く花形産業だが，当時（1987年）はまだ一般の人にはよく知られていなかった．先行きも不透明であった．一生の仕事としてやっていけるものかどうか，おそらく，応募者の中には不安を持つ人もいただろう．その不安を解消する，あるいは少しでも和らげるために，このヘッドラインが使われた．
　　　今は夜明け，まさに，太陽が山の端に顔を見せ始めたとき．
　　　これから日光に照らしだされ，華々しく社会に認められる，
　　　それがコーダ（CORDA）である．

神の恵みまでをも意識させ，なおかつ聖書の言葉が与える誠実と信頼をも示唆する．イメージ広告として最高傑作ではないかと思われる．

新約聖書

three wise men
３人の賢者

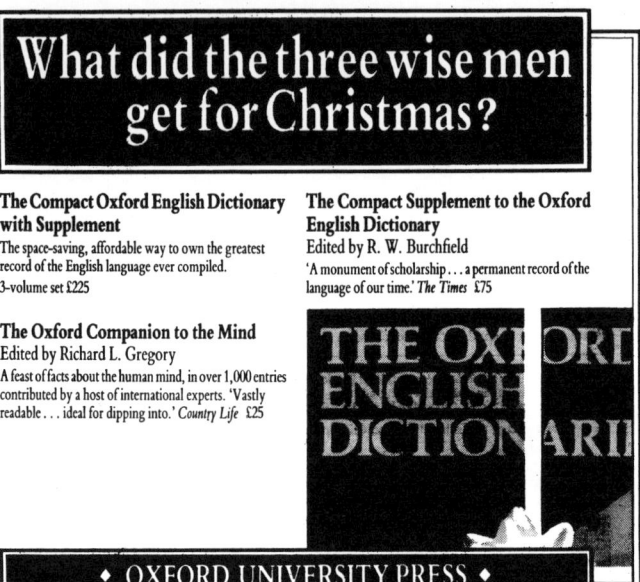

　クリスマスと three wise men（３人の賢者）は切っても切れない関係にある。「マタイによる福音書」第２章に次のような話がある。
　　イエスがヘロデ王の代に、ユダヤのベツレヘムでお生まれになったとき、見よ、東からきた博士たちがエルサレムに着いて言った。
　　「ユダヤ人の王としてお生まれになったかたは、どこにおられますか。私たちは東の方でその星を見たので、そのかたを拝みにきました。」

…見よ彼らが東方で見た星が，彼らより先に進んで，幼子のいるところまでいき，その上にとどまった．
　……
　そして家に入って，母マリヤのそばにいる幼子に会い，ひれ伏して拝み，また，宝の箱をあけて，黄金，乳香，没薬などの贈り物をささげた．　　　（『新約聖書』日本聖書協会，1967）

毎年クリスマスに教会で催される子供劇はこの話である．3人の賢者は，東方の三博士といわれることもある．星に導かれて，東の方から3人の賢者が宝物を持って生まれたばかりの幼な子イエスに会いにくる．キリスト教徒なら誰でもが知っている物語である．
　What did the three wise men get for Christmas?
　3人の賢者はクリスマスに何をもらったでしょう？

クリスマスの贈り物に辞書はいかがとすすめる，オックスフォード大学出版局（Oxford University Press）の広告である．

　右は，ヴィクトリア・ワイン（The Victoria Wine Company）の広告．
　Where do wise men shop at Christmas?
　賢者はクリスマスの買物をどこでするのでしょう？
というのは，クリスマスのワインはぜひ当店でお買い求めくださいという意味である．

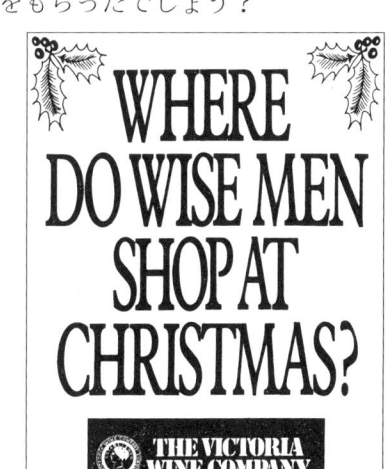

『ハムレット』— 1

To be or not to be...
生きるべきか死ぬべきか…

　聖書とともに広告によく登場するのが，シェイクスピア（William Shakespeare, 1564-1616）である．

　To be or not to be... はシェイクスピアの四大悲劇の1つ『ハムレット』の第3幕第1場，ハムレットの有名な第3独白の最初である．

　父を奪われ，母を奪われ，父の死後当然自分に来るべき王位をも奪われたハムレット．父王ハムレットを殺した父の弟，今は母の夫，叔

父であり義父であるクローディアス王に復讐するべきか、それともこのまま諦めてじっと耐え忍ぶか。悩めるハムレットが自分にもはっきりと分からぬ心の中の憂鬱を語るシーン。

　この To be or not to be... については、あまりにも漠然とした動詞 be を使っているために多くの解釈がある。独白の後半部分にある「死後の世界があるといっても、そこから帰って来た旅人がいない以上、やはり苦しくとも、この世で我慢せざるをえない」というセリフから考えると、自分の生死、死ぬべきかこのまま生きるべきか、という意味になる。しかし、これに続くセリフ、「この荒々しい運命の射かける石や矢を心の中でじっと我慢すべきなのか、それとも、海となって寄せてくるこの困難に立ち向かって、それを打ち砕くのがよいのか…」から考えると、復讐するべきか諦めるべきか、という解釈も成り立つ。

　迷いを表わすとき、日常的に使われることばとなった。

　　　Imagine Shakespeare without ink...
　　　It's like your PC without a Fujitsu printer.
　　　インクのないときのシェイクスピアを想像してください。
　　　それはあなたのパソコンに富士通のプリンターがついていないのと同じです。

　To be or not to be でまずシェイクスピアを連想させ、シェイクスピアとインクの関係は、パソコンと富士通プリンターの関係と同じだという。少しオーバーではあっても、比喩が冴えていて、富士通プリンターをイギリス人に売り込むには、あながち誇張のしすぎとはいえない。

poor Mrs Yorick
おかわいそうなヨリックの奥さん

Alas, poor Mrs Yorick.

Nobody knew her – or her husband – well.
Certainly not their insurance agent. So she discovered, too late, that their policies paid too little.
What about you? What will your family need when you die? Will you be able to retire early? Do you want to create some capital in, say, ten years? Will you need money for school or university?
Imperial Life agents will talk to you about your life, not our policies; your ambitions, not our plans.
They're professionals, not just sales people.
Ask them questions. Give them challenges. Phone any of our thirty local offices.
Your life may depend on it. **IMPERIAL LIFE**

THE IMPERIAL LIFE ASSURANCE COMPANY OF CANADA.
CLIMFIELD LIABILITY COMPANY INCORPORATED IN CANADA IN 1890).
IMPERIAL LIFE HOUSE, LONDON ROAD, GUILDFORD, SURREY GU1 1TA.
GUILDFORD (0483) 71215.
A MEMBER OF THE LAURENTIAN GROUP OF COMPANIES.

シェイクスピアの『ハムレット』の中で使われているセリフのもじりである．
　デンマークの王子ハムレットと母ガートルードの話の最中に，壁掛けが揺れた．壁掛けの上から剣を刺し通すと，それはハムレットの恋人オフィーリアの父ポローニアスであった．
　先王の妃ガートルードの夫となったクローディアス王は，我が身の安全のために先王の息子であるハムレットをイギリスへ送り，殺そうとする．
　途中，ハムレット一行は海賊に襲われるが，海賊の好意でハムレットはひとりデンマークに帰ってくる．
　第5幕第1場墓場のシーン．
　デンマークに着いたハムレットが，親友ホレイショーとともに墓場を通りかかる．2人の墓掘り人が土を掘っていた．新しい墓を作るために，古い墓を掘り返しているのである．掘っているのは，気が狂って溺死したオフィーリアのための墓であることをハムレットは知らない．
　2人の墓掘り人とハムレットの，軽妙でウィットにあふれたやりとりがある．
　このとき，墓掘り人が掘り出して手にしたのが，ヨリックの頭蓋骨である．墓掘り人がヨリックの髑髏だというのを聞き，それを手にしたハムレットのセリフが

　　Alas, poor Yorick!
　　ああ，かわいそうに，ヨリック

である．
　ヨリックは父王ハムレットの道化であった．王子ハムレットを何度も背負ったことのある，あの道化．
　ところで，ヨリックが登場するのは，後にも先にもここだけである．髑髏が登場するだけで，ヨリックのことは王子ハムレットが語ること以外には何も分からない．

そこでこんな広告が生まれた．
　ヨリックさんの奥さんのことは，誰もよく知らない．
　ヨリックさんのことも誰もよく知らない．
　彼の入っていた保険会社のことも，もちろん知らない．
　夫の死亡保険金が少なすぎると気づいたときには，もう遅すぎた．
　あなたの場合はいかがです？
　あなたにもしものことがあったとき，ご家族が必要とするのは何でしょう？
　……

最近アメリカや日本では，自分の死亡保険金を生前に本人が使えるという生命保険ができた．自分が死んだ後，残った人間に保険金をというのではなく，生きているうちに自分で使えるというのである．そういう保険とは別に，後に残る家族のことを心配する人には，十分効果があるだろう．

生命保険会社の文学的，脅迫的広告である．

『夏の夜の夢』

What sort of person...
いったい誰が…

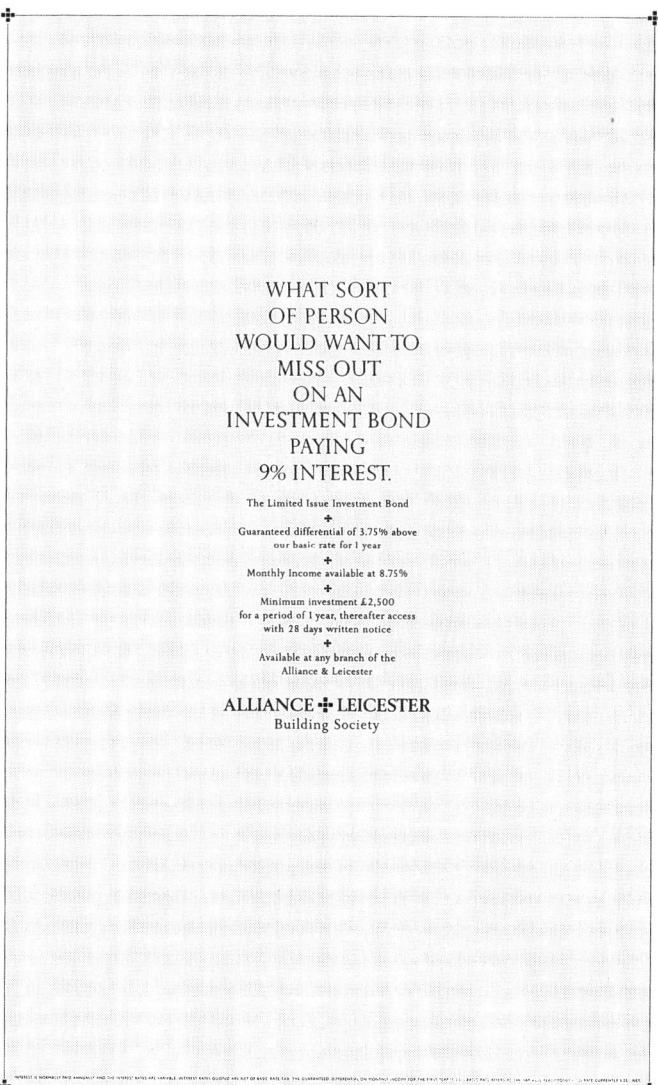

写真の男はシェイクスピアの喜劇,『夏の夜の夢』(*A Midsummer Night's Dream*) に登場する機屋のボトム (Bottom) である。

勇猛な女戦士のアマゾン族を征服してその女王ヒポリタ (Hippolyta) を連れ帰ったアテネの大公テシウス (Theseus)。女王と大公の結婚のお祝いに,町の職人たちが芝居をすることになった。

職人たちが集まったのはアテネの森の中,Midsummer Day (ミッドサマー・デイ) の前の夜,Midsummer Night (ミッドサマー・ナイト) であった。Midsummer Day は夏至のこと,その前夜が Midsummer Night である。

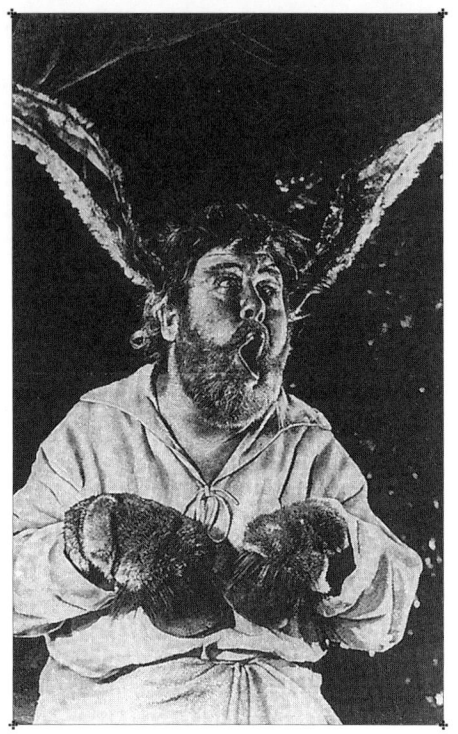

西洋では,この夜は特別に意味がある。若い男女が森に出かけ,恋を語らい,将来を約束し,幸福な結婚を祈る,そんな祭りの夜である。さらに古くは迷信で,この夜には妖精が地上に現われると信じられていた。

この夜森へ行った職人のうち,ボトムだけが妖精パック (Puck) のいたずらで,頭をロバにされてしまう。

また,パックは妖精の王オベロン (Oberon) の命令で,オベロンの妻で妖精の女王タイターニア (Titania) が眠っている間に,魔法の惚れ薬をその瞼に塗る。この惚れ薬は怠惰の恋 (love-in-idleness) という名の浮気薬。目が覚めて最初に目にした人間にわけもなく夢中

になるという薬である．

　妖精の女王タイターニアが目覚めて最初に見た人間，それがボトムであった．劇中，その滑稽さで観客にさんざん笑いものにされる．いわば馬鹿の代表である．

　さて広告だが，ここでは小さくしたが，両方とも一面広告である．片方に文章が書いてある．

> What sort of person would want to miss out on an investment bond paying 9% interest.
> ９％の利息のつく投資債券を見逃す人って，どんな人間？

それは，ボトムのような馬鹿な人だけ，ということである．

イギリスの投資信託会社アライアンス・アンド・レスター（Alliance & Leicester）の投資債券購入者募集の広告である．

『ロミオとジュリエット』

What's in a name?
名前なんて

　シェイクスピアの悲劇,『ロミオとジュリエット』(*Romeo and Juliet*) の中のセリフである.
　イタリアの町ヴェローナに, 2つの名門モンターギュ家とキャピュレット家があった. 両家は長年にわたって対立を続けていた. モンターギュ家の息子ロミオが, こともあろうにキャピュレット家のひと

り娘ジュリエットに恋をした．ジュリエットもまた，一目でロミオを好きになった．
　ロミオが潜んでいるとも知らず，バルコニーでジュリエットは独り言，自分の想いを語る．
　　　敵はあなたの名前だけ．
　　　モンターギュではありません．
なおも続ける，
　　　いったい，名前って何なの？（What's in a name?）
　　　バラの花はどんな名前で呼んだって，あのあまい香りに変わりはないのに…
ジュリエット14歳．恋が教えた素直な疑問である．
　さて，カットはテックの販売広告である．「名前って何？」というのは，『ロミオとジュリエット』では名前なんかどうだっていい，ということだけれども，この広告のヘッドラインは反対の意味である．
　　　名前って何？　名前こそ大事．
　　　テックは電子機器メーカーとして絶対の信頼を意味する名前．
　　　テックは，流通情報システム，ＯＡ機器，電子レジスター，電子料金秤りなどの製造販売会社です．
　　　アフターサービス，研修機関など他の会社の比ではありません．
　　　テックはあなたのビジネスを自分の仕事とする，そんな会社の名前です．
　　　信頼のＯＡシステム，それが「テック」という名前です．
　これがこの広告の本文の意味である．広告主のテック（TEC＝Tokyo Electric Company）は，戦後，東芝が財閥解体にあい，元の東京電気と芝浦製作所に分離させられた結果できた会社で，株式一部上場企業である．
　ちなみに，会社案内のタイトルは，Speak to Heart（あなたのハートに語りかけたい）である．

『イン・メモリアム』

Ring out the old
ベルを鳴らして送り出せ

イギリスの詩人テニスン（Alfred Tennyson, 1809-92）が親友ハラム（Arthur Henry Hallam）の死を悼む詩を書いている．ハラムがウィーンで客死したのは弱冠22歳のときであった．この若き詩人を追悼する長詩『イン・メモリアム』（*In Memoriam A.H.H.*）の一節は次のように始まる．

　　　Ring out the old,
　　　ring in the new!
　　　鐘を鳴らして送り出せ，古きものを，
　　　鐘を鳴らして迎え入れよ，新しきものを．
詩はつづいて
　　　響け，幸せの鐘よ，雪の野を突き抜けて：
　　　今は大晦日，行く年を送り出せ；

虚偽なるものを送り出せ，鐘を鳴らして，
　　　真なるものを迎え入れよ，鐘を鳴らして．
とうたう．
　カットのヘッドラインはこの一節の冒頭の部分．広告主はアイデアル・ホームズ（Ideal Homes）という不動産会社である．
　詩では古い年と新しい年という対比だが，広告の意図は，古い家と新しい家である．古い家よさようなら，新しい家よこんにちは，というのである．ringには電話（のベルの音），電話をかけることなどの意味もあり，このコピーにはアイデアル・ホームズの各支店の番号が列挙されていることから，「今すぐ当社にお電話を」という意味への連想も考えられる．
　五線譜の上に書くことで，軽やかに，さわやかに，読者に訴えかけている．幸せの鐘の音が聞こえてきそうなヘッドラインである．

『二都物語』

A Tail of Two Cities

二都 尾の語り

A Tail Of Two Cities.

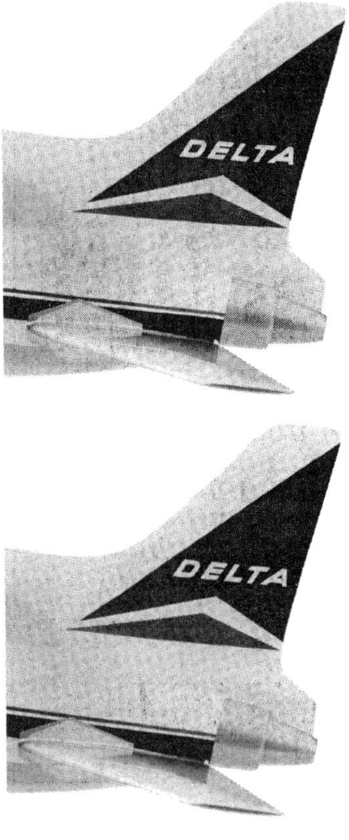

On June 16, Delta begins daily nonstop service to Cincinnati. Located in the heartland of mid-America, Cincinnati is one of the country's most picturesque river cities.

To celebrate this new service, Delta Frequent Flyers will earn extra bonus mileage between London and Cincinnati from June 16 through August 15. Double mileage in Tourist, triple in Business, quadruple in First Class. Flights leave London daily at 1355, and arrive in Cincinnati at 1720.

Or take one of Delta's most popular flights to Atlanta, the hub of the American Sun-belt and one of America's most dynamic cities. Atlanta flights leave London daily at 1100, arriving at 1445. And now an additional 3 nonstops depart London at 1330, arriving in Atlanta at 1715—every Tuesday, Thursday and Sunday.

All Delta flights from London are on comfortable Wide-Ride® TriStars, where you have ample room to stretch out and relax. En route, you'll enjoy superb cuisine, a first-run film, 8-channel stereo and Delta's justly renowned personal service.

Both Atlanta and Cincinnati offer convenient Delta connections to virtually anywhere you want to go in the U.S.A.

For more information and reservations, see your Travel Agent or call Delta in London at 01-668-0935. Or visit the Delta Ticket Office at 140 Regent Street, London W1R 6AT.

Get a free Alamo Rent A Car for a whole week. Available for two or more adults travelling together to Cincinnati and certain other U.S.A. cities. For details, call Hermis Travel Ltd. at (01) 930-2556.

DELTA

Gets You There With Care™

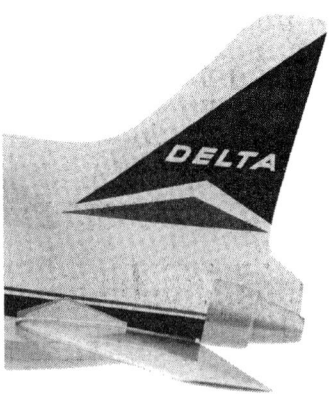

この広告のヘッドラインは，イギリスの小説家チャールズ・ディケンズ（Charles Dickens, 1812-70）の『二都物語』（*A Tale of Two Cities*）をもじったものである．1859年の発表で，フランス革命を背景にしており，歴史小説ともいわれる．「二都」とは，小説の舞台となるロンドンとパリのことである．

　革命前の貴族の暴政を嫌ってイギリスに亡命してきたフランス貴族の青年ダーネイがフランス人医師マネットの娘ルーシーに恋をする．ルーシーを恋するもう1人の青年がいた．シドニー・カートンという名の飲んだくれのイギリス人弁護士である．2人の青年は偶然，うりふたつ，まるで双子のようによく似ていた．ルーシーはダーネイと結婚する．

　6年後，フランス革命が勃発．昔の忠僕が投獄されたのを知り，ダーネイは急遽，パリへ帰る．革命の真っただ中，貴族であるというだけの理由でダーネイは投獄され，死刑を宣告される．

　一方，無目的に人生を過ごしてきた弁護士カートンは，今もなお愛し続けるルーシーのために，命を捨てて彼女の夫ダーネイを救おうとする．うりふたつであることから，ダーネイの身代わりになろうと決心するのである．

　歴史小説とメロドラマの要素を持った小説である．

　さて広告は，同名で映画化もされたこの小説のタイトルにある tale（物語）と，同音異綴の tail（尻尾）をかけている．飛行機の尾翼に書いてある航空会社デルタ（DELTA）の文字が，tail を使ったヘッドラインによって浮かび上がってくる．

　コピーの意味する2つの都は，ロンドンとシンシナティ，ロンドンとアトランタ．ロンドンからアメリカの2つの町への直行便開設の案内である．

「クリスマス・キャロル」

Christmas presents
クリスマス・プレゼント

　広告の人物は守銭奴スクルージ。19世紀のイギリスの小説家チャールズ・ディケンズが書いた『クリスマス物語』(*Christmas Story*) という一連の作品がある。スクルージはその中の１つ、「クリスマス・キャロル」('A Christmas Carol') の主人公である。
　ケチでがめついスクルージ。今日はクリスマス・イブ。事務所のストーブは石炭がもったいないからと、あるかないかわからないくらいの小さな火しか残っていない。

世間の人はみな神の恵みを感謝して，困っている人たちのために何かできることはないかと優しい心になっている．

　しかし，スクルージにとってクリスマスなどというのは，雇い人の書記に休暇をやらねばならぬ厄日にすぎない．

　クリスマスの慈善寄付を集めに来た2人の紳士にきっぱりと寄付を断り，「貧乏人は刑務所か救貧院に行けばいい．死にたいやつらは死ねばいい．そいつらが死ねば，世界の人口問題も少しは良くなる」とうそぶくのである．

　自分の家に帰るが，もちろん独り住まい．結婚をして妻を養う，子供を育てるなどということは，金の無駄づかいと考えている．

　そんなスクルージの前に，共同経営者だったマーレイの幽霊が現われる．マーレイが死んで7年になる．

　マーレイの幽霊に導かれて，スクルージは自分の過去や未来を見せられる．若かった頃の自分の姿，忘れていた自分の中のもう1人の自分を見る．

　また，雇っている書記クラシットの家に連れていかれる．そこに見たのは，貧しいながらも，家族みんなが心を寄せ合って生きている幸福な家庭であった．スクルージの貪欲さのために，生活を切りつめ，足の不自由な息子を医者にみせることもできないクラシット．それでもスクルージへの感謝を忘れず，スクルージの健康を祈る書記．貧乏人は死ねばいいとうそぶいていたスクルージも，後悔と悲しみで胸が張り裂けそうになる．

　キリスト教的精神に目覚めたスクルージは慈悲の心を取り戻す．

　クリスマスの慈善寄付は過去の分までさかのぼって申し出る．書記のクラシットが会社に出てくると，ストーブには石炭をたっぷり入れるようにと命令し，驚く彼に，給料を上げてやろうと言う．びっくりして逃げ出そうとするクラシットに，「クリスマスおめでとう！　君の家族にもできるだけのことはするよ」と告げる．

　そして，足の不自由なクラシットの息子ティムのために，スクルー

ジはあらゆる援助を惜しまず，ティムの第2の父となった．
　スクルージときいて思い浮かべるイメージはふつう，最後の心を入れかえたスクルージではなく，初めの方の無慈悲な守銭奴のスクルージである．
　　　Christmas presents even Scrooge couldn't resist!
　　　スクルージでさえも欲しくて我慢できなかった
　　　　　クリスマス・プレゼント！
　広告はそんな守銭奴スクルージでも，クリスマス・プレゼントとして，「挿絵入りディケンズ全集 全21巻」，『庭師の迷路』，「シェイクスピア名詩選」には反対できないだろうというのである．
　コピーにあるイラストは，主人公スクルージのイメージ．オックスフォード大学出版局（Oxford University Press）がクリスマス・プレゼントに本をすすめる広告である．

『八十間世界一周』

Round the World in 80 Ways
80通り世界一周

旅行会社トラベル・バッグ（Travel Bag）の広告．ヘッドラインはフランスの小説家ジュール・ヴェルヌ（Jules Verne, 1828–1905）の科学冒険小説『80日間世界一周』（*Round the World in 80 Days*）をもじったものである．

広告は，イギリスからオーストラリア，ニュージーランドを経由して，アメリカ，アジア，太平洋の島々，インド，アフリカへ行かれるのでしたら，途中どこへ立ち寄るにしてもありとあらゆるオプションを用意してあります，という．ご予算の方も，豪華なホテル宿泊から緊縮予算タイプまで当社にお任せください．安全を第一にお客様のニーズにもっとも適したサービスを提供しています，というのである．これが 80 ways の意味するところである．『80日間世界一周』との連想によって，きわめて効果的な広告になっている．

『80日間世界一周』は映画化もされ，その名を世界中に知られた作品である．

所はロンドン．名門「改新クラブ」で，謎の大富豪であるフォッグ氏と他の会員が，3日前に起こった銀行での窃盗事件の話をしてい

る．犯人は銀行から５万５千ポンドの現金を盗んで逃走した．その逃走経路について会員の１人が，この広い世界，どこにでも隠れることができるという．そこでフォッグ氏がいう．「それは昔の話，今や世界は狭くなった．私なら80日間で世界を１周できる」

　その結果，フォッグ氏はその成否に財産のうちから２万ポンドを賭け，残りを持って世界一周の旅に出ることになる．

　出発はその日，1872年10月21日(水曜日)午後８時45分，約束の日時を80日後の12月21日午後８時45分，改新クラブ着と定める．

　旅のお供は新しく雇った召使いパスパルトゥーだけ．

　ドーヴァー海峡から大陸へ，イタリアから地中海を抜けて紅海を渡り，インドへ．

　インドでは，世界鉄道案内書によると開通したはずの鉄道が途中で途切れていたため，50マイルのジャングルを象に乗って進むことになる．途中，ヒンドゥー教徒の葬列に出くわし，密かに後をつける．そして慣習によって死んだ夫と共に焼かれそうになった若い女性，アウダを救出する．

　その後はアウダと召使いパスパルトゥーを連れて，幾多の苦難，危険を機知と勇気でことごとく克服し，旅を続ける．日本に立ち寄り，アメリカ大陸を横断し，12月21日昼ごろ無事イギリスの港町リヴァプールに到着する．ロンドンのクラブでの約束の時間に十分間に合うはずであった．

　しかしフォッグ氏は，リヴァプールの税関で監禁されてしまう．フォッグ氏を銀行の窃盗犯と信じ，彼を追って世界を１周してきた刑事フィックスに逮捕されたのである．

　だが犯人は３日前に逮捕されていた．フォッグ氏は解放され駅に駆けつけるが，ロンドン行きの急行は５分前に出たところ．特別列車を仕立てて大急ぎでロンドンに帰ったが，到着したのは８時50分，約束の時間を５分超過していた．

　フォッグ氏の旅行記録は次のようになる．

10月3日	（木）	パリ（Paris）
4日	（金）	チューリン（Turin）
5日	（土）	ブリンディシ（Brindisi）
9日	（水）	スエズ（Suez）
20日	（日）	ボンベイ（Bombay）
25日	（金）	カルカッタ（Calcutta）
11月6日	（水）	ホンコン（Hong Kong）
11日	（月）	シャンハイ（Shanghai）
14日	（木）	横浜（Yokohama）
12月3日	（火）	サンフランシスコ（San Francisco）
11日	（水）	ニューヨーク（New York）
21日	（土）	リヴァプール（Liverpool）

　　　　　　　　5分遅れでロンドン着

　フォッグ氏は賭けに負け，全財産を失ったのである．

　心から彼に愛情を寄せるアウダは無一文になったフォッグ氏と結婚することになった．結婚式の手配のために教会へ行った召使いのパスパルトゥーが大あわてで帰ってきた．約束の日時にまだなっていないという．何のことだか分からないフォッグ氏の腕をつかんで外へ．フォッグ氏は馬車に飛び乗り，クラブへ向かう．

　約束の8時45分にあと3秒というときにフォッグ氏はクラブに現われた．彼らは太平洋を横断したとき日付変更線を越えたにもかかわらず，日付を1日遅らせることを忘れていたのだ．実質上は80日ではなく，81日あることを計算に入れていなかったわけである．西から東へ向かって日付変更線を通過したので，まるまる1日得をすることになったのである．

「ジャックと豆の木」

a bean to your name
自分名義の豆

And you thought you'd never have a bean to your name.

IF you're young and married with all the attendant commitments, the possibility of building a sizeable nest egg may seem a bit of a fairy tale.

But with Bradford & Bingley's Prosperity Plan it becomes very possible indeed. You can put aside as little as £10.30 a month (the equivalent of just over a gallon of petrol a week) and after 10 years you'll have a really hefty balance ready and waiting.

At up to 11.80% p.a. tax free it dwarfs other schemes.

The secret is that Prosperity Plan not only gives you a very good annual interest but also a special tax saving which is added to your premiums to earn even more interest.

The effect as you see in the chart is quite gigantic.

And it's all tax free.

Life Insurance cover, too.

What's more, Prosperity Plan also gives you life insurance with Homeowners Friendly Society. Quite a consideration when you've got dependents.

As safe as houses.

With something as important as your life savings at stake, it's reassuring to know that Bradford & Bingley have well over £2,200 million in assets at the latest count. Most of this is invested in solid bricks and mortar.

And, as you know, when it comes to holding up through thick and thin, property is as good as gold. Probably better.

Nice and Easy.

The beauty of Prosperity Plan isn't just how much you can make for how little. It's so easy to operate. Just by signing a banker's mandate once, you can sit back and let it all take care of itself.

To find out more without obligation send in the coupon below or better still call in at any branch of Bradford & Bingley. You'll find the address in the phone book. And we're open every day during normal shopping hours including Saturday morning.

But don't leave it too long.

How Your Savings Shoot Up

Monthly Premium	Accumulated value after 10 years	Tax Free Gain	Tax Free Yield % p.a.	Equivalent Gross Yield % p.a.
£10.30	£2,284	£1,048	11.80	16.86
£20.60	£4,568	£2,096	11.80	16.86

These examples are for investors aged 16–70. Excellent yields are available for investors aged up to 70. Details obtainable on request. The returns quoted are variable and linked to Building Society rates. They assume that current rates continue and that tax is paid at the basic rate of 30%.

In this day and age, it's never too soon to start jacking up your savings.

FREEPOST (no stamp needed)
To: Bradford & Bingley Building Society, Freepost, Bingley, West Yorkshire BD16 2BR. Please send me details of Prosperity Plan without obligation.

Name (BLOCK CAPS) _____
Address _____
_____ Postcode _____ Age _____

BRADFORD & BINGLEY
We open more doors for you

この広告は投資信託会社のものである．ヘッドラインはイラストが表わしているように，「ジャックと豆の木」を暗示している．
　「ジャックと豆の木」は最も有名な童話の1つであるが，もとは北欧の神話にその起源を発するといわれている．
　貧しい子供のジャックが母の命令で牛を売りにいく．子供のジャックは牛を少しばかりの豆と交換して帰ってくる．怒った母は，その豆を窓から外に投げ捨てる．豆の1つから芽が出て，一夜のうちにぐんぐんと天まで伸びた．
　ジャックはこの豆の木に登って天上の国へ行く．そこには巨人と巨人の妻が住んでいるだけ．ジャックは巨人が眠っている間に，宝の袋，黄金の卵を生む赤いメンドリ，歌をうたう金の竪琴を盗む．金の竪琴を盗んで帰ろうとしたとき，その竪琴が大きな声で叫んだ．
　「マスター！　マスター！」
　目をさました巨人は大急ぎでジャックの後を追いかける．ジャックは必死で豆の木を下りていく．先に下りたジャックは豆の木を斧で切り倒す．雲の下まで下りてきていた巨人は地面に落ちて死んでしまう．
　ジャックは宝物でその後幸せに暮らした．
というのがお話である．
　ジャックが牛と交換したbean（豆）という言葉には，「取るに足らぬもの」，「小金」という意味もある．広告のヘッドラインはそれを踏まえている．

　　　And you thought
　　　you'd never have a bean to your name.
　　　それで，あなたは自分名義の豆を一生持つことはない
　　　と思っておられるのですね．

　広告はさらに次のように呼びかける．
　　　まだ若くて，しかも結婚している皆さん，生活に手いっぱいで，先々の心配などする余裕はないと思っているでしょう．将

来，自分たちのマイホームを持つことなど，おとぎ話のようなものと考えているのではありませんか．
　　当ブラッドフォード・アンド・ビングレー社の「幸福プラン」におまかせください．
　　1か月に10.30ポンド，ほんの1週間分のガソリン代を投資してください．
　　それが10年後には2,284ポンドになっているのです．
　　小さなお金で大きく貯める．
　　それが当社の「幸福プラン」です．
「ジャックと豆の木」のジャックのように，小さなものから始めてお金持ちになりましょう，というブラッドフォード・アンド・ビングレー社（Bradford & Bingley）の広告である．

「マイ・フェア・レディ」

mainly Spain
ほとんどがスペイン

Mainly Spain.

Every day new unit trusts appear offering investors access to specific European countries like France, Switzerland, Spain and the Netherlands. These specialist funds require the investor or his advisor to judge the critical moments for buying, selling or switching.

We believe that our managed European fund provides the benefits of a specialist fund but removes worries about the timing and cost of switching. For example in late 1985 nearly half of the fund was in Germany, now the largest sector is Spain with a relatively minor holding in Germany. This style of management has resulted in the Oppenheimer European Growth Trust being the Number 1 unit trust in 1985 and for the two year period ending 1st January 1987.

For a copy of our latest European Growth Trust brochure call 01-489 1078 or write to Oppenheimer at 66 Cannon Street, London EC4N 6AE.

Oppenheimer
Fund Management Ltd

A member company of the Mercantile House Group.

この広告のヘッドラインは，ミュージカル「マイ・フェア・レディ」の中の言葉をもじったものである．「マイ・フェア・レディ」は1956年にブロードウェイで初演され，2,712回のロングランを記録した．後に映画にもなっている．原作はジョージ・バーナード・ショー（George Bernard Shaw, 1856-1950）の『ピグマリオン』．ショーはアイルランド生まれのイギリスの劇作家・批評家で，1925年にノーベル文学賞を受賞している．

　舞台はロンドン．言語学博士ヒギンズ教授が，街の花売り娘を一流のレディに作り上げていく物語である．

　冒頭，ヒギンズ教授はイギリス人の使う英語の堕落を嘆く．アメリカでは英語が消滅したとアメリカ英語を皮肉り，どうしてイギリス人は英語がちゃんとしゃべれないのだと叫ぶ．このままでは，イギリスに共通語がなくなってしまう，どうして子供たちにちゃんとした言葉づかいを教えないのだと歌う．

　イギリスにコックニー（Cockney）と呼ばれる英語がある．ロンドンの下町言葉で，その特徴を発音だけに限っていえば，［アイ］が［オイ］，［エイ］が［アイ］と発音され，hの音が発音されない．

　このコックニーを話す花売り娘イライザを指差し，ヒギンズ教授がいう．「この娘でも，6か月もあれば，正しい言葉づかいを教えて，お姫様に仕立てあげてみせる」

　翌日，イライザがヒギンズ教授を訪ねてくる．レディになりたいから英語を教えてくれというのである．そして，彼女の発音を矯正するためにヒギンズ教授の特訓が始まる．

　ヒギンズ教授がイライザに与えた文章の1つが次のものであった．

　　　The rain in Spain stays mainly in a plain.
　　スペインの雨は流れないで，おもに平野にたまっている．

　この文を読む場合の標準英語とコックニー英語発音の違いを示すと次のようになる．

	標準英語	コックニー
rain	レイン	ライン
Spain	スペイン	スパイン
stays	ステイズ	スタイズ
mainly	メインリ	マインリー
plain	プレイン	プライン

　この広告のヘッドライン，Mainly Spain はこの文章をもとにして作られている．

　　皆様からお預かりしたお金は，現在は主にスペインに投資しております．

これがヘッドラインの意味するところである．

　バルセロナ・オリンピックで好景気に沸いていたころの，スペインへの投資をすすめる投資信託会社オッペンハイマー（Oppenheimer）の広告である．

「カサブランカ」

"Play it again, Sam"
「もう一度弾いてよ，サム」

　この広告のヘッドラインはマイケル・カーティス監督，イングリッド・バーグマン，ハンフリー・ボガート主演の永遠の名画「カサブランカ」の中のセリフを思わせる．

　「カサブランカ」はストーリーの面白さ，2人の素晴らしさだけでなく，粋なセリフの多いことでも人気がある．

　第二次世界大戦下のパリ．ドイツ・ナチスの進攻によって陥落しようとする日，バーグマン演ずるエルザとボガート演ずるリックはパリを去って結婚しようと約束する．

　約束の時間が過ぎ，パリを出る最後の列車が出発する時間がきても，彼女は現われない．残ろうとするリックをなだめて，黒人サムはリックと2人でパリを去る．サムはリックに雇われたピアニスト兼シンガーであるが，同時にリックにとってはかけがえのない親友でもあった．

数年後，リックはアフリカのカサブランカで酒場を開いている．店の名はリックス・カフェ・アメリカン（Rick's Cafe American）．
　カサブランカは，ナチスから逃れてアメリカへ渡ろうとする人々で溢れていた．リックの店も大盛況である．
　そこへ，反ナチスの英雄ヴィクター・ラズロが妻を伴って現われる．妻はエルザであった．当惑の表情を見せるサム．
　エルザはウェイターを通じてサムを呼ぶ．
　現われたサムとのやりとり．
　　　　サム：またお会いすることがあるとは思いもよりませんでした
　　　　エルザ：もうずいぶんになるわね
　　　　サム：ええ，橋の下を水もずいぶん流れました
　リックのことを聞きたがるエルザにサムがとぼける．そして，
　　　Elza：Play it once, Sam, for old time's sake.
　　　Sam：I don't know what you mean, Miss Elza.
　　　Elza：Play it, Sam. Play 'As Time Goes By'.
　　　Sam：I can't remember, Miss Elza. I'm a little rusty.
　　　Elza：I'll hum it for you. Play it, Sam.
　　　エルザ：サム，お願いだから一度弾いてよ
　　　サム：何のことです，エルザさん
　　　エルザ：弾いてよ，サム，「時の流れに」を
　　　サム：覚えてないんです．少しぼけてまして
　　　エルザ：一緒にうたうわ，弾いてよ，サム
　やむを得ず，サムはリックとエルザの思い出の曲 'As Time Goes By' をピアノを弾きながら歌い始める．それは，長い間，リックから演奏も歌うことも禁じられていた曲であった．
　広告にある，"Play it again, Sam." というセリフが出てきそうな場面はここだけである．しかし，実際には "Play it once, Sam." と言っている．映画では実際に言われていない言葉 again に，この広告の意図が隠されている．

バーは，世界中ほかにいくらでもあるのに，よりによって俺のバーに入ってきた．

女の顔を見たとたん，ルイからかかってきた電話のことが心の中から消えてしまった．ルイは早口でしゃべっていた．電話の内容を思い出さなくては．

幸いジーマーク社のテレ・レコーダーをたったの95ポンドで買ってあった．そのテレ・レコーダーにスイッチが入っていたのだ．電話で話したことを全部，自動的に録音してくれる．しかもテープは市販されているふつうのカセットテープ．本当に頼りになるやつだ．

俺と彼女はほっとして，ピアノに耳を傾ける……何の心配もなく．やがて（as time goes by）サムが電話のことを気にし始めたのに気がつく．そのうちに，サムがルイからの電話のことを口にする．

テレ・レコーダーを指して私が言う．「かけてみろよ」(Just play it.)

「もう１ぺんかけてみろよ，サム」(Play it again, Sam.)

ロンドンにあるジーマーク社（Geemarc）による電話録音機の広告である．

「想い出のグリーングラス」

The Green, Green Grass of Home
故郷の緑濃き芝生

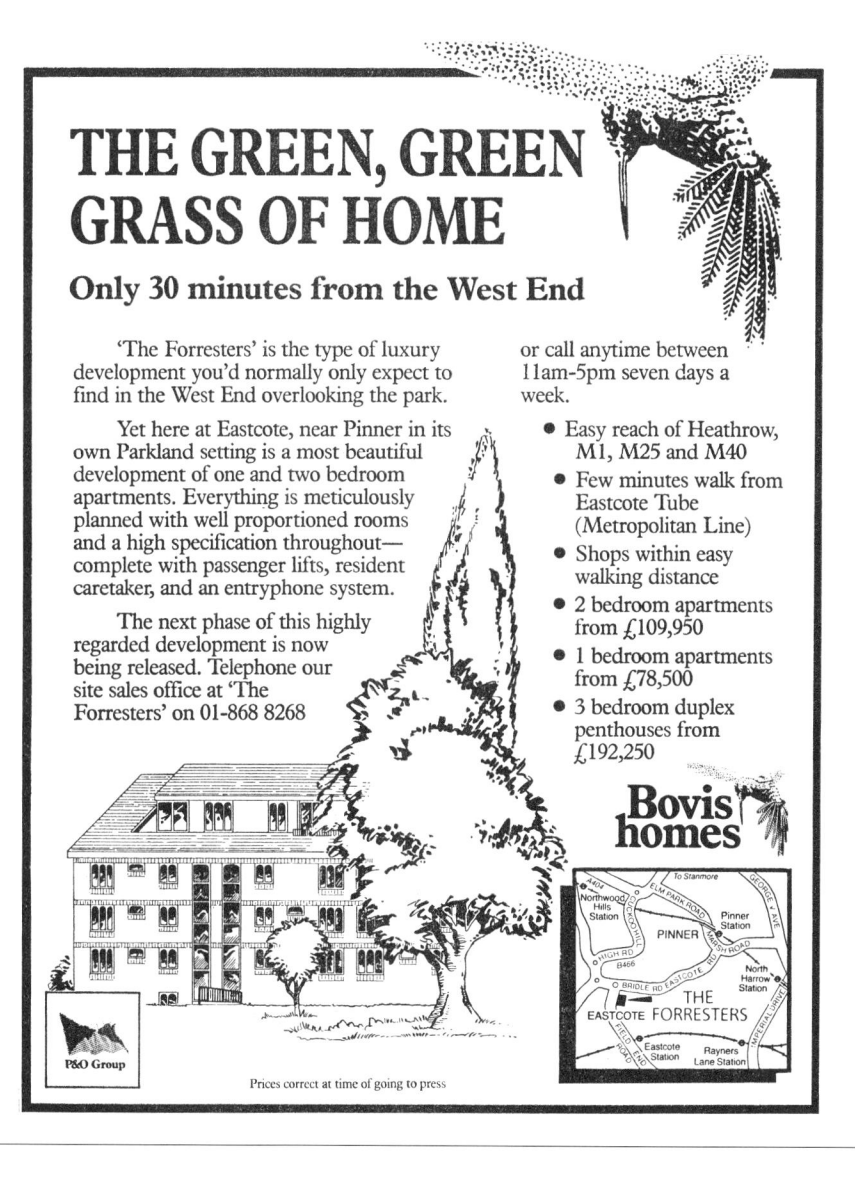

THE GREEN, GREEN GRASS OF HOME

Only 30 minutes from the West End

'The Forresters' is the type of luxury development you'd normally only expect to find in the West End overlooking the park.

Yet here at Eastcote, near Pinner in its own Parkland setting is a most beautiful development of one and two bedroom apartments. Everything is meticulously planned with well proportioned rooms and a high specification throughout—complete with passenger lifts, resident caretaker, and an entryphone system.

The next phase of this highly regarded development is now being released. Telephone our site sales office at 'The Forresters' on 01-868 8268 or call anytime between 11am-5pm seven days a week.

- Easy reach of Heathrow, M1, M25 and M40
- Few minutes walk from Eastcote Tube (Metropolitan Line)
- Shops within easy walking distance
- 2 bedroom apartments from £109,950
- 1 bedroom apartments from £78,500
- 3 bedroom duplex penthouses from £192,250

Bovis homes

P&O Group

Prices correct at time of going to press

これは住宅建築会社ボーヴィス（Bovis）のアパートの広告。ヘッドラインは、カントリーソングの代表曲といわれる、日本名「想い出のグリーングラス」の一節である。
　　　　ある死刑囚が死刑執行の前夜、夢をみた。
　　　　故郷の緑の草に触れた夢をみた。
　　　　父や母、恋人メアリーの夢をみた。
　　　　古い家は、ペンキははげていても、やっぱり昔のまま。
　　　　昔遊んだあの樫の木もやっぱりそこに立っていた。
　　　　金色の髪、さくらんぼのようなかわいい唇、
　　　　恋人メアリーと小道をふたりで歩く。
　　　　目がさめてまわりを見ると、四方は壁、死刑を待つ独房の中。
　　　　朝になれば、看守と牧師に付き添われ死刑台へ歩いていく。
　　　　僕が死んだら、故郷のあの樫の木の根元に埋めてくれ。
　　　　そしたら、みんなが会いにきてくれる。
　　何とも悲しい歌である。どう見ても、アパートの広告にふさわしい歌とは思えない。この場合のアパートとは日本でいうマンションのことである。
　　　田舎の緑に囲まれた家と庭、大きな樫の木の下で遊んだ幼年時代。故郷を遠く離れて、悩みも苦しみもなく愉快に過ごした日々を想う、我々の多くが感じるノスタルジー。
　　　　　It's so good to touch the green green grass of home.
　　　　故郷の緑の芝に触れるのは本当にすばらしいことだ
　　　この文章が曲の中で何度も繰り返される。
　　　The green green grass of home はこの歌の題名でもある。
　　　いずれにしても、緑に囲まれた、静かな環境を思わせるヘッドラインである。
　　　ところで、日本語のマンションにあたる英語はアパートメント・ハウス（apartment house）である。豪華な分譲マンションは普通コンドミニアム（condominium）という。英語の mansion という言葉は

大邸宅，日本語でいう「マンション」の建物を全部1人が所有し，使用している豪華邸宅のことである．最近では，豪華な「アパート」の名前として複数形で使うこともある．例えば，The Bovis Mansions といった具合に．

さてこの広告にあるのは，
　　　ヒースロー空港へのハイウェイに近い
　　　地下鉄イーストコート駅まで徒歩数分
　　　ショッピング街は徒歩圏内
　　　2寝室　　109,950ポンド
　　　1寝室　　78,500ポンド
　　　3寝室のペント・ハウス　192,250ポンド
といった物件である．

このような場合，台所，居間，食堂，バス，トイレが付いているのは当然のことである．ロンドンの西寄りの地域，大金持ちの住む高級住宅街ウェスト・エンドから30分，イーストコートに作った分譲マンションの広告である．

「はにゅうの宿」

Home Sweet Loan
家にやさしいローン

①　②

　ジョン・ハワード・ペイン作詩による"Home Sweet Home"というイングランド民謡がある。日本では「はにゅうの宿」として知られている。映画「ビルマの竪琴」の中では日英両軍の兵士が一緒に歌った。イギリス人の心の歌である。

　歌の中の，

　　　Be it ever so humble, there's no place like home.
　　　Home! Home! Sweet, sweet home ;

There's no place like home…
は最も有名な部分である．
　どんなに貧しくとも，我が家にまさる場所はない
　楽しき我が家，
　我が家こそ我が心のふるさと…
　カット①のヘッドラインは，'Home! Home! Sweet, sweet home.' の部分を住宅ローンにかけたもの．HFC投資信託会社のhouseownerへの建て増し，改装のためのローン勧誘広告である．
　カット②は，'There's no place like home' の部分をもじったもので，サンデー・タイムズにあった郵便局の広告である．
　There's no place like the Sunday Times for weekend shopping.
　── everyone's shopping by post these days.
　週末のショッピングにサンデー・タイムズほど便利なものはありません．──最近はどなたも，カタログ販売でショッピングをしています．
　ロイヤル・メイル（Royal Mail）とあるが，イギリスでは女王陛下や王室の財産（例えば，Royal Mail：イギリスの郵便事業は女王陛下の経営する私企業である），王室に直接関係はなくても国営のもの，国の機関や組織（例えば，the Royal Air Force）には，たいていの場合ロイヤル（Royal）という言葉がついている．立憲君主国としてはこういうことになるのだろうが，イギリス人の友人に確認すると，これ以外にビジネスに関係することでは，国や王室に何の関係もなくRoyalがついているものもあるという．

「蛍の光」

auld acquaintance
古き友

これはウイスキーの広告である．スコットランドの詩人ロバート・バーンズ（Robert Burns, 1759-96）の詩 "Auld Lang Syne"（「古き昔」，日本では「螢の光」として歌われている）を連想させる．最初の1節は次のような内容である．

> Should auld acquaintance be forgot
> And never brought to mind?
> Should auld acquaintance be forgot
> And days o'lang syne ?
> 古き友は忘れ去られ
> 思い出すこともないのか
> 古き友は忘れ去られて
> 古き昔も消えていくのか

Auld lang syne というのはスコットランドの言葉で，英語にすると old long since となり，old long ago「はるかな昔」という意味である．

ウイスキーといえばスコッチ．

Splash out on an auld acquaintance.
古き友にふりかけよ

splash out on...は「ふりかける」という意味のほかに，口語では，「ふるまう，買う」という意味がある．auld acquaintance は「古き

友」と「昔から飲みなれている酒」という2つの意味がある。「長年みなさまに愛されてきたこのお酒を…」というのか「友達と心ゆくまで飲み明かそう」というのか。どちらにしても酒飲みの心を知るキャッチフレーズである。

　スコッチ・ウイスキーはもともとスコットランドのハイランド地方産のモルト・ウイスキーのことである。ハイランドといっても土地は平らで，車や列車に乗っていてもゆるやかに登っていくので高地を走っていることになかなか気づかない。このハイランドで作られたスコットランド産のモルト（麦芽）を使ったウイスキーは，モルトを乾燥させるときにピート（泥炭）を用いる。ピートには独特の匂いがあり，このためにモルト・ウイスキーには独特の香りがある。

　スコットランドにはもう1種類グレイン・ウイスキーというのがある。これはモルト・ウイスキーよりもアルコール度は高いけれども，香りは少ない。現在出回っているスコッチ・ウイスキーの大半はこのモルト・ウイスキーとグレイン・ウイスキーをブレンドしたものである。世界的なブランドとしてスコットランドよりも外国で多く売れるオールド・パーやジョニー・ウォーカー以外にも，実にいろいろなブランドがある。このマッキンリー（Mackinlay's）もそのうちの1つである。

　世界中，ごく一部の地域を除いて，酒飲みのいない国，酒飲みのいない町はないだろう。酒は昔を語り，未来を語るとき一番の友となる。古き友と共に想い出にひたりながら飲む酒はまた格別である。

　酒を飲みながら迷うことがある。「これ以上飲むと明日は二日酔い。今のこの楽しさを諦めるべきか，それとも心ゆくまで楽しんで明日の苦しみを覚悟すべきか」，結果はいつも同じである。

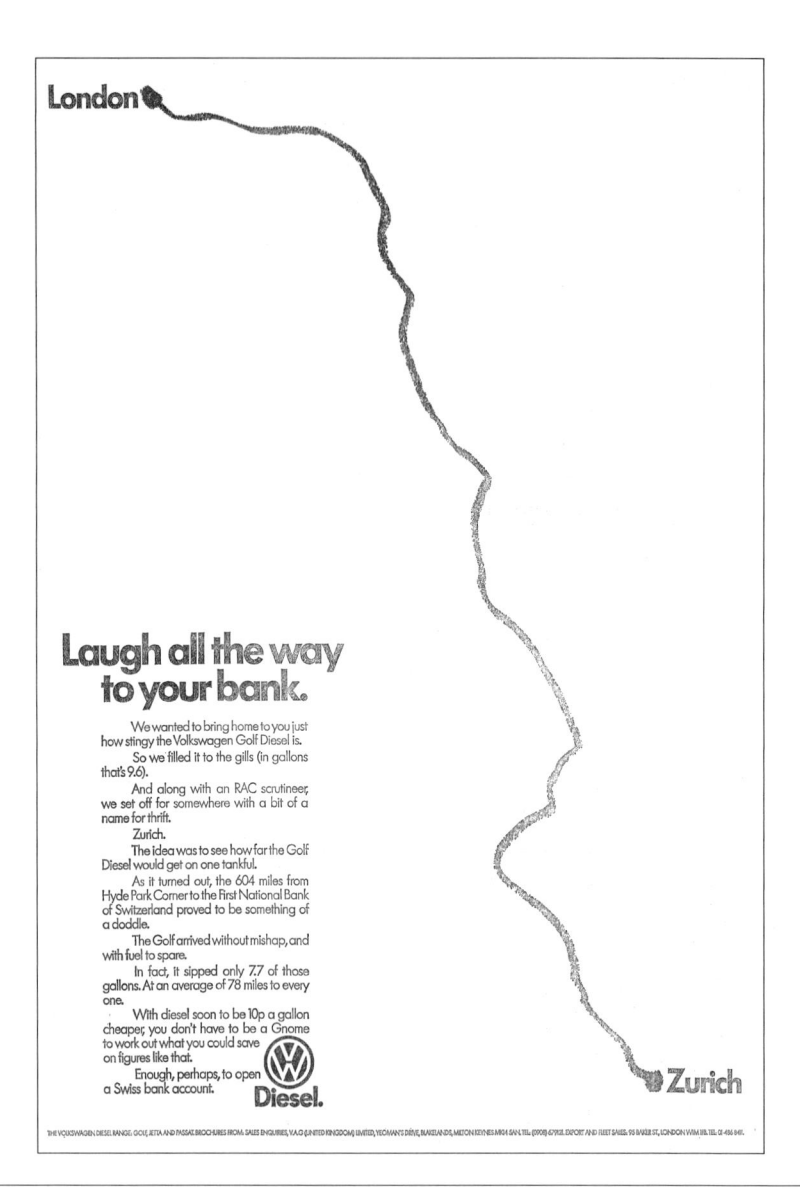

「ジングル・ベル」

laugh all the way
笑って行こう

London

Laugh all the way to your bank.

We wanted to bring home to you just how stingy the Volkswagen Golf Diesel is.

So we filled it to the gills (in gallons that's 9.6).

And along with an RAC scrutineer, we set off for somewhere with a bit of a name for thrift.

Zurich.

The idea was to see how far the Golf Diesel would get on one tankful.

As it turned out, the 604 miles from Hyde Park Corner to the First National Bank of Switzerland proved to be something of a doddle.

The Golf arrived without mishap, and with fuel to spare.

In fact, it sipped only 7.7 of those gallons. At an average of 78 miles to every one.

With diesel soon to be 10p a gallon cheaper, you don't have to be a Gnome to work out what you could save on figures like that.

Enough, perhaps, to open a Swiss bank account. **Diesel.**

Zurich

この広告のヘッドラインは「道中ずっと笑いましょう」ということである．クリスマス・ソング「ジングル・ベル」の中にある 'Laughing all the way' をもじっている．
　フォルクスワーゲンのディーゼル車（Volkswagen Golf Diesel）はディーゼル・オイルの安さの上に，燃費の良さが倹約の代名詞になっている．

　　　Laugh all the way to your bank.
　　　銀行までずっと笑って行きましょう．

　意味は，「ロンドンの公園ハイド・パークからスイスのチューリッヒにあるファースト・ナショナル銀行まで，この車なら，1度満タンにしただけで十分．途中，故障もなく，燃費も安い．ロンドンからチューリッヒまで，笑顔で行きましょう」というのである．
　クリスマスは出費のかさむときであり，また，遠く離れて生活している人々が故郷に帰るときでもある．安全に，スムーズに，安い燃費での旅行，とフォルクスワーゲン車の性能のすばらしさを宣伝するものである．
　なお，laughing all the way to the bank は「大儲けをする」という意味でもある．

「ホワイト・クリスマス」

Why Are More And More People Dreaming of a dry Christmas?
どうしてそんなにも多くの人が
ドライ・クリスマスを夢見るのだろう？

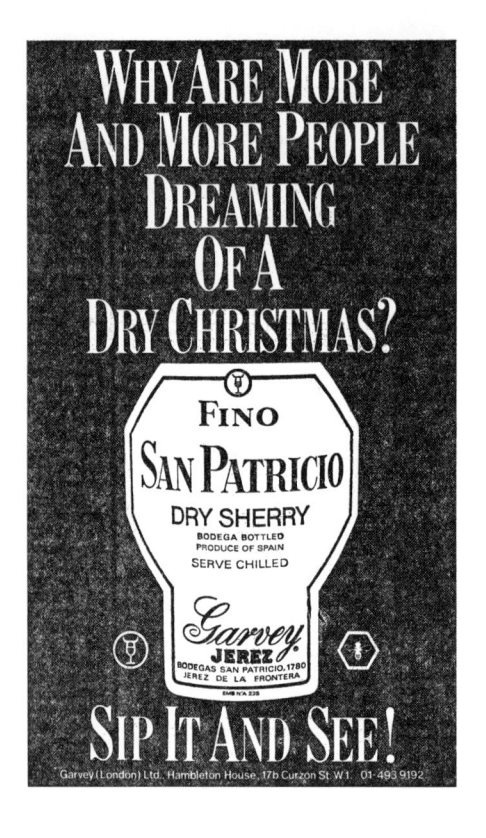

クリスマスソング「ホワイト・クリスマス」は日本でもよく知られた歌である．クリスマスが近くなると，どこからともなく耳に入ってくる．

その最初の文章 'I'm dreaming of a White Christmas.' の white を dry に変えてヘッドラインにしている．ガーヴェイ社（Garvey）のドライシェリー，サン・パトリシオの広告である．

ヘッドラインは歌詞をもじるという手法であるが，最後の部分の Sip it and see!（一口味わってごらんなさい）は，sの音を使った頭韻法（alliteration）である．

Part-2
異義・造語・音の利用

二重の意味—1

The customer is always right.
お客様はいつも正しい

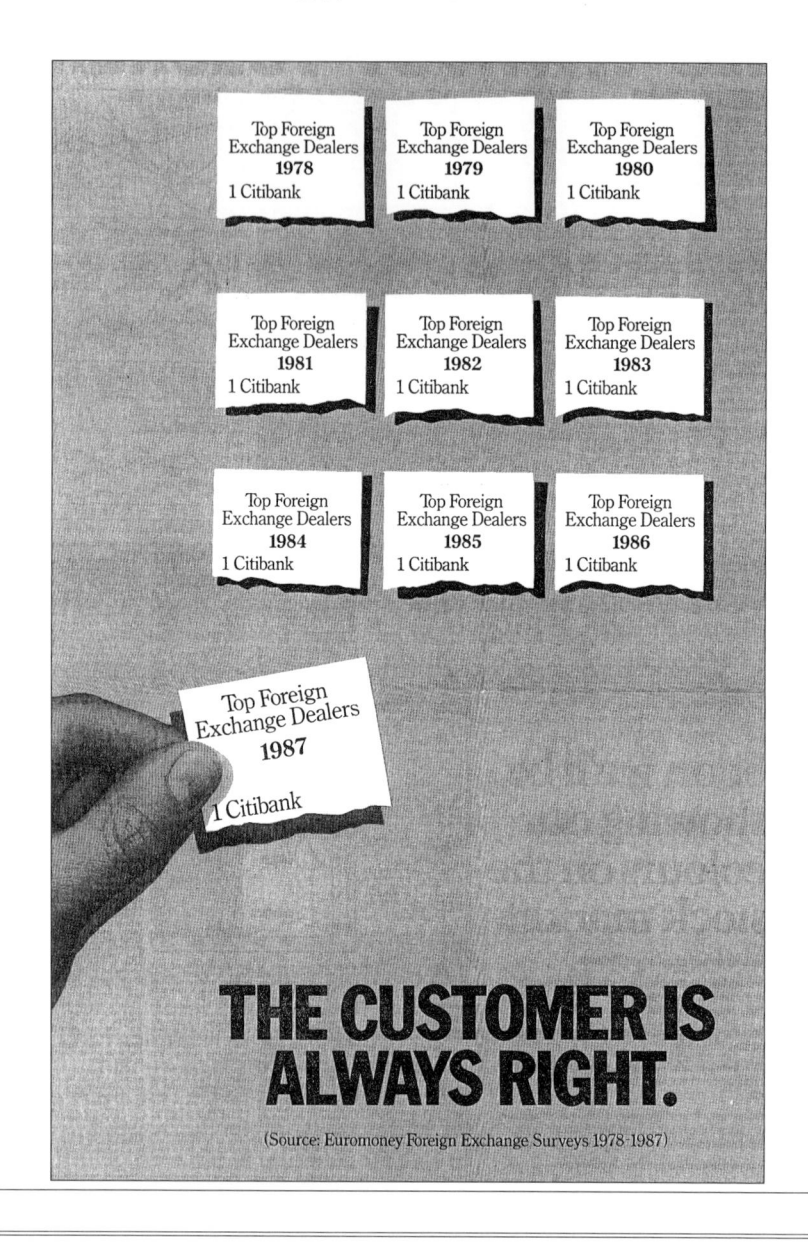

THE CUSTOMER IS ALWAYS RIGHT.

(Source: Euromoney Foreign Exchange Surveys 1978-1987)

このヘッドラインの文章はふつう,「お客様は神様です」という意味で使われる．同じ意味で The customer is a king.（お客様は王様です）という言葉もある．

しかし,このヘッドラインはもう1つ別の,文字通りの意味に使われている．

> お客様は常にシティバンクを選んでくださった．
> 1978年から連続して1986年まで（この広告は1987年7月7日のもの）,外貨交換高でシティバンクは第1位を走り続けています．
> 一番信用できる銀行はどこか,お客様は知っているのです．
> このことでお客様の判断はやっぱり正しかった．

このように2つの意味をもたせて使われた言葉をダブル・ミーニング（double meaning）という．

シティバンク（Citibank）の広告である．

二重の意味—2

the class struggle
階級闘争

The class struggle Some fresh ideas from Iberia.

GRAND *Preference* *Economy*

Iberia have looked at the confused issue of airline classes and come up with a new approach that's refreshingly logical and relevant.

Throughout our range of Intercontinental flights to Africa and Latin America on wide body B747's and DC10's, we will be offering a choice of Grand Class, Preference Class and Economy Class.

Each class is represented by one of the simple graphic symbols you see here.

Together they will be giving you greater choice and greater flexibility.

First is our brand new Grand Class with free bar, silver plated cutlery, porcelain tablewear and new "Siesta" Dreamer seating.

Grand Class passengers will be accommodated in special airport lounges and they will be the first to disembark at their destinations and priority will be given to their baggage

Next, commencing this autumn is our new Preference Class designed specifically for the needs of businessmen.

It includes special boarding facilities, a separate travelling cabin plus excellent standards of service and attention.

Finally, there's our New Economy Class, a result of Iberia's efforts to make flying as affordable as possible.

But while the prices are low, our service is of the highest order.

Three carefully planned classes, three logical symbols.

All a sign of Iberia's efforts to make flying as pleasurable as possible.

For more information contact your local travel agent or Iberia office.

IBERIA
INTERNATIONAL AIRLINES OF SPAIN

Birmingham 6431953, Glasgow 2486581, Manchester 8324967, London 439 7539.

「階級闘争」とは政治権力をめぐって，支配階級と被支配階級とが争うことである．搾取する者とされる者の戦いである．マルクス主義ではこの闘争が歴史を変えていく原動力であるとする．資本家と労働者の間の権力闘争である．共産主義，社会主義のお家元，ソビエト連邦は崩壊した．
　さて，航空会社の使う「クラス」とは飛行機の座席ランクのことである．イタリアの航空会社イベリア航空（Iberia）では，グランド（Grand），プレファランス（Preference），エコノミー（Economy）という3つのランクを国際線に設けた．
　新しくできたグランド・クラスでは，高級酒が飲み放題，ナイフ，フォーク，スプーンは銀製，食器は本物の陶器である．座席は，「シエスタ・ドリーマー（Siesta Dreamer）」という楽に昼寝が楽しめる広さである．空港のラウンジも特別室，到着空港では一番先に降ろしてくれる．荷物はまっさきに出してくれる．目的地に着いて一番いらいらするのは，ベルトコンベアに乗って運ばれてくる荷物を待つときである．特に国際線では，間違って次の空港まで運ばれたり，旅行かばんが開けられて中の貴重品が盗まれたという話もある．ベルトをかければ安全とわざわざベルトをしたものの，あれやこれやと心配しながら待つのである．その心配がすべてなくなる．まったくの特別扱い．これが，グランド・クラスの利用者に対するイベリア航空の配慮である．無料だというので，飲み過ぎを心配するのは，筆者のように「貧乏旅行」しかしたことのない者の杞憂かもしれない．
　さて，あとの2つのクラスはどうか．
　　　プレファランス・クラスも，専用客室，搭乗時の優先などビジネスでご利用のお客様の便宜を図っています．エコノミー・クラスはなんと言っても経済性．低価格ですが，イベリアのサービスはトップクラスです．
　このサービスのどれを選ぶかが階級闘争というわけである．

二重の意味—3

Whatever... in London.
ロンドンには何でも

何年か前，大阪の地下鉄の吊り広告で次のコピーを見つけた．

  愛がなければ　　　ス　コーヒー
  愛があるから　アイス　コーヒー

ス・コーヒーの「ス」は素顔，素ウドンの「す」である．「愛す」と「アイス」の言葉遊びもシャレている．しかし，アイスコーヒーは単に冷たいコーヒーということであって，特定の商品名ではない．

イメージ広告のヘッドラインが消費者に楽しいイメージを与えても，スポンサーの名前や製品名を伝えるインパクトに欠けることも多い．このコーヒー会社の広告のヘッドラインもその例である．

日本ではまだ規制されていないけれども，たばこの広告がイギリスやアメリカのコマーシャルから消えて久しい．

左のカットは規制以前のもので，このヘッドラインの中の「ロンドン」はイギリスの首都ロンドンと，たばこの銘柄のロンドンの2つの意味をかけている．

Whatever you're looking for,
You'll find it in London.
ご希望の物,
なんでもロンドンにあります

宣伝すべき製品名をうまく使ったヘッドラインである.

たばこの箱には健康に対する警告がある.「喫煙は有害であるかもしれない」(Smoking may be hazardous for your health.) という文章が最初であった.次には「喫煙は有害である」という断定した文章になった.「喫煙は肺がんの原因と考えられています」,「たいていの医者は禁煙しています」(Most doctors don't smoke.) という婉曲的な文章から,今では,「喫煙は肺がんの原因である」(Smoking is the cause of lung cancer.) となっている.

それでもたばこはやめられない.

『トム・ソーヤーの冒険』を書いたマーク・トウェイン (Mark Twain) は,「たばこをやめることぐらい簡単なことはない」と言った.「禁煙なんて毎日始められる.」

女性の喫煙人口が増え,喫煙が胎児に与える影響が警告されている.妊婦の喫煙は,流産,早産の原因になる.受動喫煙も危険である.妻が妊娠したら,夫は喫煙の場所をよく考えるべきである.

「禁煙」の続かぬ筆者は自分のできないことを人に説くつもりはない.3日禁煙しても,1年禁煙していても,宴会が1度あると元に戻ってしまう.今は「禁煙」を拒否して「休煙」状態に入っている.夢の中でたばこを喫って,「今までがんばっていたのに,なんで喫ってしまったんだ!」と思う.その後悔で目がさめる.この夢の中の後悔で今のところ,「休煙」が続いている.

二重の意味— 4

Check Mates
チェック友達

　これはロンドンのデパート，ハロッズ（Harrods）の広告．

　コピーの Check Mates は，西洋将棋のチェスで「王手！」を意味する checkmate（チェックメイト）という語と，格子柄（check）を着る仲間（mate）という2つの意味をかけたものである．

二重の意味 — 5

sunny-side up in Madeira
マデイラで目玉焼き

アフリカ西海岸にあるマデイラ諸島での日光浴に誘う観光宣伝．

 Go sunny-side up in Madeira.

 マデイラで目玉焼き

sunny-side up は目玉焼きのことで，マデイラ諸島で肌を焼こうという意味である．

 末尾の文もなかなかおしゃれ．

  It's in the Cook Book, take a look.

は文字通りには「それ（目玉焼きの作り方）は料理の本にあるからお読みください」ということだが，意味は「マデイラの目玉焼きはクックのパンフレットにあります．ご覧ください」である．ここで Cook Book に定冠詞を使って，広告主がトーマス・クック社（The Thomas Cook）と分かる仕組みになっている．

類語— 1

the 1st name
第1位

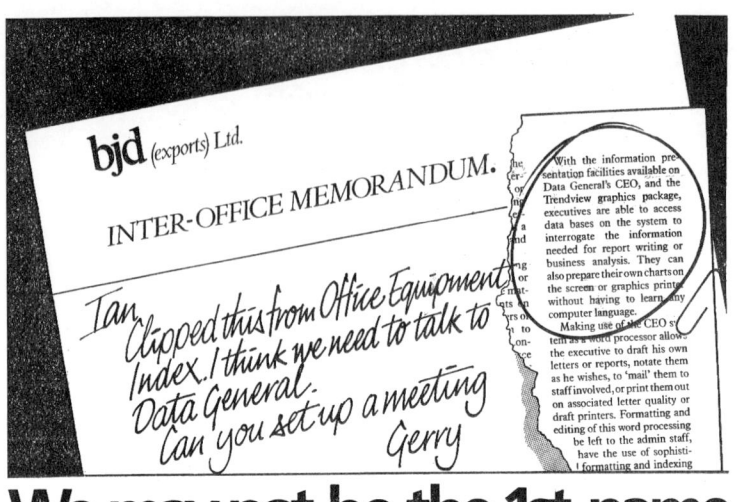

[Image: Inter-office memorandum from bjd (exports) Ltd. with handwritten note:]

"Ian, Clipped this from Office Equipment Index. I think we need to talk to Data General. Can you set up a meeting. Gerry"

[Magnified portion reads:] With the information presentation facilities available on Data General's CEO, and the Trendview graphics package, executives are able to access data bases on the system to interrogate the information needed for report writing or business analysis. They can also prepare their own charts on the screen or graphics printer without having to learn any computer language. Making use of the CEO system as a word processor allows the executive to draft his own letters or reports, notate them as he wishes, to 'mail' them to staff involved, or print them out on associated letter quality or draft printers. Formatting and editing of this word processing be left to the admin staff, have the use of sophisticated formatting and indexing

We may not be the 1st name you think of, but we'll be 2nd to none on your short list.

In fourteen years, Data General has supplied 114,000 computers worldwide.

We have supplied over 10,000 systems in the UK. We are among the Fortune 500.

Our computers from the desktop CS/5 to the super MV8000 are compatible throughout the range.

They're also compatible with some rival systems. (Which is very cost effective when you're linking our computers to systems other than ours.)

We don't merely sell the 'Machinery'. We can undertake total projects in total co-operation with you. From applications software design to hardware suited to your specific needs.

Backed by very comprehensive support contracts.

The Eclipse MV/4000 is Data General's new, low-cost 32-bit computer system. With support for 64 terminals and up to 8 megabytes of main memory and 4.7 gigabytes of online storage – all in a compact metre-high cabinet – it outperforms its major competitors by a factor of 2:1, at the same price.

"We regularly record system availability figures in excess of 98% throughout our network." This statement, made by one of our large clients last month, says something about our equipment's reliability.

Next time you're putting a computer system out to tender you'll probably think of your previous supplier first.

Think of Data General second.

We're rarely in that position when it comes to the best solution.

And no one is further ahead in technology.

Marketing Communications Division, Data General Ltd., Hounslow House, 724-734 London Road, Hounslow, Middlesex TW3 1PD.
I want goods that deliver the goods. Please send details of your Eclipse-based systems.

Name _____ ST 27/3/83
Position _____
Company _____
Address _____
Tel. _____

We deliver the goods that deliver the goods. ◆ Data General

広告のヘッドラインでは，違う言葉で同じ意味を表わしたり，よく似ているけれども意味の違う表現でウィットを利かすものがある．
　「私自身はあまりお酒を好きではないんですが，酒の方で私を離してくれない」の場合，「酒を好き」といおうと，「酒に好かれる」といおうと，「のんべえ」に変わりはない．
　この広告はコンピュータ会社データ・ジェネラル（Data General）のものである．

　　　We may not be the 1st name you think of,
　　　but we'll be 2nd to none on your short list.
　　　あなたが最初に思うのは我が社の名前ではないかもしれません．
　　　しかし，我が社が最終選考で2位に甘んじることはありません．

　コンピュータの買い換えのとき，一番最初に思い浮かべるのは現在お持ちの機種の会社でしょう．しかし，調査し見積りを終わった最終候補のリストでは，我が社はどこと比較しても2番目にはなりません，というのである．
　second to none は「どこにも劣らない」ということで，第1位と同じ意味である．short list（短いリスト）というのは「最終選考候補リスト」のことである．

類語— 2

no rivals, merely competitors
競争相手

AFTER 109 YEARS WE HAVE NO RIVALS, MERELY COMPETITORS

Egypt now from only £334.
Here are just a few of our special offer Egyptian holidays: 7 nights in Cairo or Alexandria from £334; "Discovery of Egypt" tour, including Luxor and Aswan, from £400; 13 day tour of Egypt including a 7 night Nile Cruise from £625.

Far East from £419.
We have "stay-put" holidays at Pattaya, the most glamorous of Thailand resorts, from £419 for 8 nights, or £488 for 15 nights.
Our wide range of Far East tours begins at £599 with the Eastern Experience, taking in Hong Kong, Pattaya and Bangkok.

Barbados from £327.
Self catering holidays in fully equipped studio apartments begin at £327 for 7 nights, and £372 for 14 nights. We also have an exciting range of one to four star hotels in our brochure.
Flights from Gatwick, Heathrow and Manchester.
See our Faraway brochure and get full details from any good travel agent or ring Peterborough (0733) 502615.

Thomas Cook Holidays

ONLY OUR PRICES ARE LIKE OTHER HOLIDAYS

ABTA Member Thomas Cook Limited ATOL 265 ABC All holidays subject to availability. Where applicable prices do not include airport taxes and are subject to surcharge.

　旅行業者トーマス・クック社の自信あふれる広告。「我が社の料金設定にライバルはいない」というヘッドラインはなかなかのインパクトがある。
　　After 109 years we have no rivals, merely competitors
　　創立以来109年、今ではライバルはなく、同業者あるのみ
　ここでは、rival と competitor という語の違いがポイントである。日本語で「競争相手」とすると区別がつかなくなってしまうが、次のような違いがある。
　英語の competitor は力にどんなに差があってもいい。谷口選手の出場するマラソン大会に参加する人はみな、谷口選手の competitor である。しかし、フルマラソン42.195キロを3時間も4時間もかけて走る選手はとうてい谷口選手の「ライバル」ではない。
　プロ野球元ジャイアンツの長島一茂選手が大学を卒業して、ヤクル

ト・スワローズの選手になったころの話である．関根監督の意向で長島選手は３塁手としてスタートした．しかし，３塁には元大リーグの大物選手がいる．テレビのレポーターが練習の合間にインタビューをした．

「ライバルの長島一茂選手についての感想をお聞かせください」

元大リーガーはむっとした表情を見せて，

「俺を誰だと思ってる，長島なんかを俺のライバルと呼ぶな」

この広告によれば，

> ７泊のエジプト旅行は334ポンドから．ナイル川クルーズを含めた13日間エジプト旅行なら625ポンドからです．
>
> アジアへは，タイのリゾート地パタヤ滞在が419ポンドから，ほかに香港，バンコクを巡るコースもあります．

とある．たしかに安い．

類語 — 3

Old Fashioned
オールド・ファッション

古い型のものでも時代遅れでないものがあるし，古くないのに時代遅れのものもある．

old fashion は「古い型」「旧式」という意味．-ed がつくと形容詞になって，「古い型の」「古風な」という意味になる．out of date は old fashioned とよく似た意味であるが，「時代遅れ，すたれた」という意味が強い．

この広告文は2つのよく似た言葉の微妙な違いを利用しているが，ここで言っている Old Fashioned は，ウイスキー，砂糖，ビターでつくるカクテルの名前である．このカクテルに使うビター，「アンゴスチューラ（Angostura）」の宣伝なのである．

Old Fashioned would be out of date without it.
年代ものも，これがなければ，時代遅れ

「カクテルもこれがなければ，ただの酒」というわけである．カクテルは口あたりがよくて飲みすぎる．

そこで，アメリカ人の友人カズミッキーから教わった二日酔いの頭痛治療法．飲みすぎで頭が割れるように痛いとき，水枕ならぬ「湯枕」をして頭を温める．頭痛が和らいで眠れる．科学的，医学的根拠は知らない．

縁語—1

For the best view look in the Mirror.
最も美しい景色をお望みなら，ミラーをごらんなさい

この広告のシグネチャーライン（広告の一番最後で会社名を書く場所）には縁語が使われている．

ヘッドラインの中の，
view（景色）
look（見る）
mirror（ミラー）
のような関係のものを縁語という．

The Mirror には鏡の意味もあるが，この場合はこの広告のスポンサーであるイギリスの大衆新聞デイリー・ミラー（*The Daily Mirror*）のことである．

縁語— 2

holiday nests
休暇用の巣

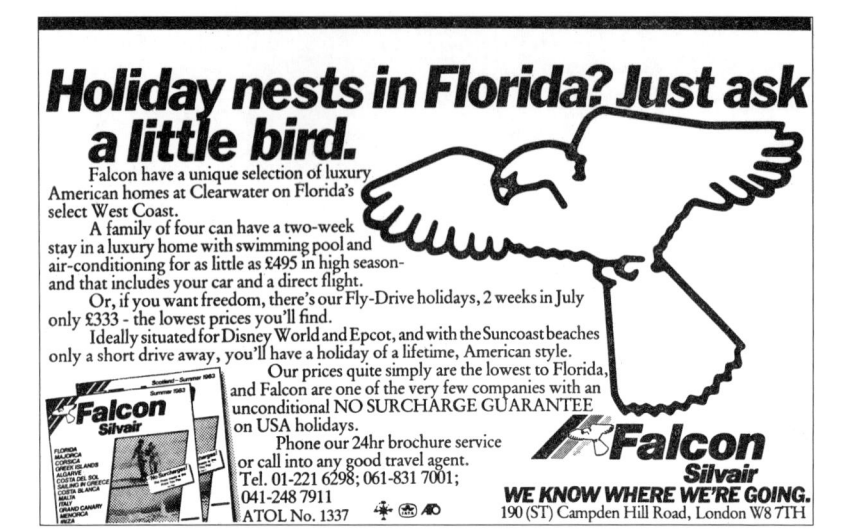

Holiday nests in Florida? Just ask a little bird.

Falcon have a unique selection of luxury American homes at Clearwater on Florida's select West Coast.

A family of four can have a two-week stay in a luxury home with swimming pool and air-conditioning for as little as £495 in high season - and that includes your car and a direct flight.

Or, if you want freedom, there's our Fly-Drive holidays, 2 weeks in July only £333 - the lowest prices you'll find.

Ideally situated for Disney World and Epcot, and with the Suncoast beaches only a short drive away, you'll have a holiday of a lifetime, American style.

Our prices quite simply are the lowest to Florida, and Falcon are one of the very few companies with an unconditional NO SURCHARGE GUARANTEE on USA holidays.

Phone our 24hr brochure service or call into any good travel agent.
Tel. 01-221 6298; 061-831 7001;
041-248 7911
ATOL No. 1337

Falcon Silvair
WE KNOW WHERE WE'RE GOING.
190 (ST) Campden Hill Road, London W8 7TH

　旅行代理店ファルコン社（Falcon）の休暇旅行の広告である．

　　Holiday nests in Florida?
　　Just ask a little bird.
　　フロリダでの休暇用の巣？
　　小さな鳥にお聞きなさい．

　ヘッドラインの nest（巣）は home（家）の意味である．a little bird（小鳥）はファルコン社を指す．

　nest（巣）という言葉から連想するのはどんなことだろう．卵やヒナドリ，夫婦が協力して餌を取ってきては口うつしに与えるなど，愛情のあふれた家族の触れ合いのようなものが心に浮かぶ．

　home という言葉を使わずに nest という言葉を使っているのは比喩

の一種の隠喩（metaphor）である．You are my sunshine.という歌のsunshineという言葉は文字通りには日光のことだが，歌では恋人という意味である．こういう表現方法を修辞学では隠喩と呼ぶ．

　ファルコン社が自分の会社をfalcon（ハヤブサ）とせず，へりくだって，a little bird（小さな鳥）と表現しているのは，婉曲語法（euphemism）である．本来，婉曲語法は汚いもの，嫌なものなど，あからさまに表現するのがはばかられることを遠回しに表現する方法であった．便所を，お手洗い，トイレ，ご不浄，洗面所などという言葉の使い方である．

　ヘッドラインの意味するところは，
　　　　フロリダで休暇をお過ごしの予定ですか？
　　　　ファルコン社におまかせください．
ということである．

　このヘッドラインでは巣と鳥，スポンサー名のファルコンが縁語（kindred）になっている．

　たった1枚の広告にさまざまなテクニックが使われている例である．

Estatesmanship!
不動産屋精神！

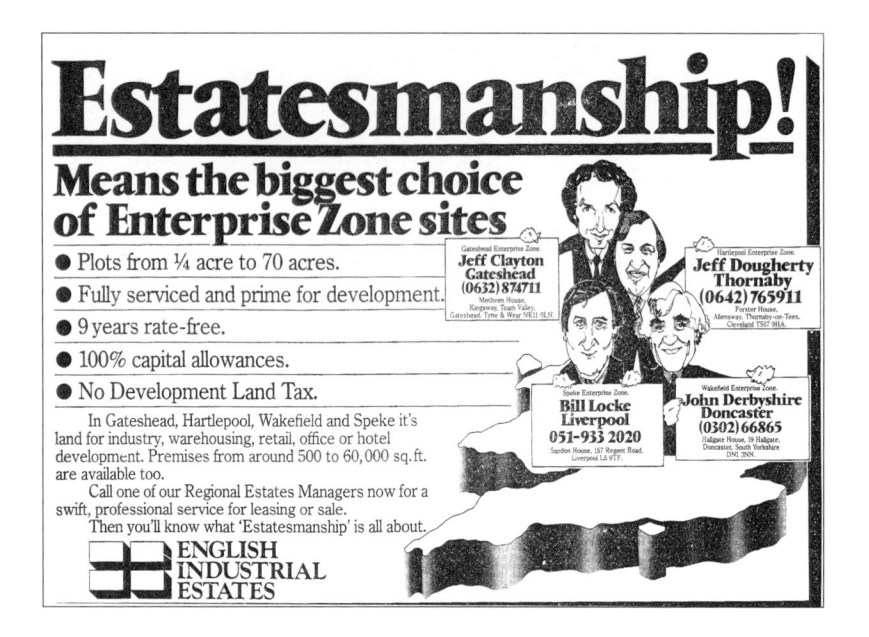

　広告は「新語」を作る．商品の名前には特に工夫をこらしているようである．

　ある旅行会社のヨーロッパ旅行の募集広告には，Europe（ヨーロッパ）と sun（太陽）を合わせて，Eurosun（ユーロサン）という商品名がある．冬の長いイギリスや北ヨーロッパの人々の，南ヨーロッパへの憧れをうまく表現している．

　男女おそろいのバスローブには「両方」という意味の both と服の robe をあわせて bothrobe という名がつけられている．腰掛けにもなるパイプつきのかばんには sit-a-bag という名がついているが，これは jitterbug（ダンスのジルバ）という音を連想させる．

英語の statesman（ステイツマン）は，国家の未来を考え，すべての国民の幸福のために努力する，かつ能力のある政治家のことである．政治家という意味でもう1つ，politician（ポリティシャン）という言葉もある．こちらは，一般的な政治家を意味する言葉である．悪い意味でも使われる．

　昔，リクルートという会社からお金をもらった国会議員がいた．それが暴露されてどうにも言い訳ができなくなると，「あのお金はリクルート社からしばらく預かっていただけである」と言った．この人はその後総理大臣になったと記憶する．あまりにも汚い政治家が多すぎて，誰がいくらもらって，どう嘘をついたのか覚えていられないくらいである．こういうのはみんな politician，それも軽蔑的にいう「政治屋」であって，決してステイツマンではない．

　statesmanship（ステイツマンシップ）は政治家としての能力，識見を意味する言葉である．

　この単語のまえに e をつけたのが，この広告にある estatesmanship である．estate は「不動産」のことで real estate ともいう．不動産屋は（real）estate agent というが，格好いいステイツマンにあやかった造語である．

造語・新表現—2

fax hunting.
ファックス・ハンティング

動物愛護協会の訴え，Stop fox hunting!（きつね狩りはもうやめて！）をもじったもの．フォックス・ハンティングは「きつね狩り」のこと，貴族のお遊びであった．猟犬を使って狐を追い出し，これを撃ちとる狩猟である．

若いアイドル歌手がテレビでファックスの宣伝をしている．うちの娘もあれを買えといってしょうがない．とうとう我が家も買わされた．父さんは娘に甘い．

あれこれ迷わずNECのNefaxに決めてしまいなさい

これがこのヘッドラインの意味である．fax hunting は造語である．切り取り線の下，最後の文章の outfax も造語である．

Nothing can outfax a Nefax.
当社のネファックスに勝るファックスはありません
最初にこういう言葉の使い方をしたのは，シェイクスピアである．out-herods Herod「残忍極まるヘロデ王も顔負け」と言った．『ハムレット』第3幕第2場，王子ハムレットが旅の役者に自分の演劇論を聞かせる場面である．

造語・新表現 — 3

Now or Never Sale.
最初で最後のバーゲンセール

　毎回毎回，最初で最後のバーゲンセール．閉店セールの店はもう10年「店じまいセール」を続けている．スペース（space）の広さが自慢の自動車は，spaceという語の宇宙という意味に引っかけて，down to earth「地面まで落ちた」値段を宣伝した．

　これはアライド・カーペット（Allied Carpets）という，じゅうたん，敷物販売会社の広告．9時開店で，9時の特価は半額とある．ただし持ち帰りという条件である．

　日本ではバーゲン用の製品もあるそうだが，ある店のバーゲンセールのチラシには「当店のバーゲンセールで売る品物はバーゲン用ではありません」とあった．

造語・新表現— 4

Polyphone-in
かけよう電話

製品のネーミングには工夫を凝らしたものが多い．日本でも最近はすてきな名前の製品が見られるようになった．英語では，名前だけでなく，動詞も作ることがある．

　　Polyphone-in
　　Polypost-in
　　かけようポリ電話
　　出そうポリ郵便

この広告は，イギリスのティーサイド・ポリテクニックの学生募集である．Polytechnic はイギリスの新しい学制でできた大学である．

PolyphoneはPolytechnic（ポリテクニック）とtelephone（テレフォン）を組み合わせた言葉で，PolypostはPolytechnicと郵便のpost（ポスト）を組み合わせた言葉である．

　1960年代の終わりから1970年代の初めにかけて，イギリス政府は時代の要求に応えて新しい高等教育機関を作った．それがポリテクニックという新しい大学である．ポリテクニックという言葉は，多いという意味のポリと，技術，技能を意味するテクニックという2つの言葉が1つになった言葉である．

　それまでの大学との違いは，まず入学の方法である．日本の高校と同じ18歳で卒業予定の生徒は，日本のセンター試験にあたるAレベルテストを受け，2科目でAレベルを取って入学するが，それ以外の応募者に対していろいろな配慮がある．

　年齢の高い応募者の場合は学習における能力だけでなく，経験を考慮して入学を決める．

　芸術科の入学には一芸入試制度がある．

　社会人に門戸を開いただけでも大きな変化だが，その上，パートつまり定時制学生をも認めている．

　あるポリテクニックでは学生の50パーセントが定時制で学んでいる．専攻も，科学，エンジニアリング，テクノロジー，社会科学や人文科学と多岐にわたる．1つにはこの大学が実業界と密接につながっているからである．

　イギリスのポリテクニックは，年齢も高く，実経験によって学習に取り組む姿勢が積極的であるという．学部だけでなく修士課程，博士課程を持っているところに，その人気の秘密があるらしい．

　この広告は，ポリテクニックの数は多いが，その中でも評判の高いティーサイド・ポリテクニックに電話をください，または，右のクーポン券を切り取ってお送りくださいというのである．

　現在イギリスには，主に3種類の公衆電話がある．カードフォンとプッシュフォンとダイヤル式．使い方は日本と同じであるが，ダイヤ

ル式の公衆電話は先にダイヤルを回し，相手が電話に出てからコイン（10ペンス）を入れる．都市部ではダイヤル式は少なくなっているが，地方には今でも旧タイプが多い．

　筆者が初めてイギリスを訪れた1970年当時，公衆電話の1通話の電話料金は3ペンス．12角形の3ペンス・コイン（スレペンス）を使わなければならなかった．コインの投入口がまたやっかいで，思いっきり，しかもタイミングよく上手に押し込まないと，コインが投入口のバネにはじき出される．もたもたしていると相手が受話器を置いてしまう．

　このシステムだといたずら電話がいくらでもかけられる．紳士と淑女の国ではいたずら電話はないのかと友人のイギリス人に聞くと，「イギリスでは，公衆電話はほとんどいつも壊れていて，使える公衆電話なんかありませんよ」と，はぐらかされてしまった．それ以前に生活していたアメリカではすでに「いたずら電話」や「嫌がらせ電話」が多く，友人の1人は電話がかかってきても決して先に名前を言わないことにしていた．

　ちなみに，ポリテクニックは外国人にも門戸を開いている．Aレベルテストを受けることのできない外国人は自国のイギリス文化庁（British Council）に相談すれば親切に教えてくれる．

ふざけ音—1

Snow, snow, quick
スノー，スノー，クイック

SNOW, SNOW, QUICK, QUICK, SNOW.

Don't dance with danger this winter, waltz safely through it in a Subaru. The car with extra safety and sure grip 4 wheel drive at the touch of a button. Subaru, beautifully designed and equipped saloons and estates start at £6,500.* Ask your dealer for a test drive, that is, if you want to get there safely, in a flurry. For the name of your nearest dealer, call 021-557 6200. *Price excludes delivery and number plates.

SUBARU UNCOMMONLY GOOD MOTOR CARS
SUBARU (UK) LIMITED, RYDER STREET, WEST BROMWICH, WEST MIDLANDS B70 0EJ. A SUBSIDIARY OF INTERNATIONAL MOTORS LIMITED.

　スロー，スロー，クイック，スロー，スロー，クイックはご存じワルツのステップである．snow（スノー）は slow（スロー）の語呂あわせ（pun）である．

　雪道を運転したことのある人なら，車がスリップして，ヒヤッとした経験があると思う．ワルツのステップのように，規則正しくスロー，スロー，クイックとは滑ってくれない．エンジンを吹かせば吹かすほど空回りはひどくなるし，坂道でエンジンを止めればどこに滑っていくか分からない．

　　Snow, snow, quick, quick, snow.
　　スノー，スノー，クイック，クイック，スノー

　これは冬の雪道や凍りついた道路で左右にスリップしながら進む車の走行のことである．

　　今年の冬は，こんな危険なダンスはやめましょう．スバルに乗って安全にワルツを踊りましょう．スバルではボタン1つで，4輪駆動に切り換えられます．

というのである．スバル（Subaru：英国）の広告である．

ふざけ音—2

Jet set... ...Go!
オーイ……ドン！

ON YOUR MARKS...JET SET... ...GO!
PAN AM HAS THE BEST ON-TIME PERFORMANCE ACROSS THE ATLANTIC.
PAN AM

　子供の頃の小学校の運動会，胸をドキドキさせた徒競走があった．位置について…用意…ドン！ ひと組5，6人で次々とスタートしていく．「位置について……ドン！」を英語では，On your marks. Get set. Go!という．
　広告のヘッドラインに使う言葉には，いろいろな狙いがある．注意を引くだけでなく，読者（予想される消費者）の記憶に残り，販売成績にも反映させたい．イメージ広告では，会社やその製品に対するイメージはよくできるかもしれないけれども，それが販売成績に結びつくかどうかは分からない．
　この広告のヘッドラインでは，スターターの言葉のGet setがJet setとなっている．

　　　On your marks...
　　　Jet set...
　　　...Go!
　　　位置について…
　　　オーイ…
　　　…ドン！

　スポンサーが航空会社パンナム（PAN AM）だから，get（ゲット）のかわりに使われたjet（ジェット）がジェット機のジェットで

あることは容易に推察できる．決まりきったOn your marks. Get set. Go!という運動用語がJet set. Go!となっただけで，いかにも楽しい，思わずニヤリとしてしまうようなユーモアになる．

このすばらしいキャッチフレーズのスポンサー，パンナムが経営不振で身売りをしたという．残念な話である．楽しいコマーシャル，必ずしも営業成績に結びつかずということなのかもしれない．

パンナムのファンは多く，航空路線の消えた空港の土産物売場で，その後もパンナムのグッズが売られている．パンナムのＯＢ社員が中心になって，パンナム保存会（Pan Am Historical Society）を作り，この人達がパンナムのグッズを売り，パンナムを応援しているのだという．

パンナムの再起を祈って，

　　　Pan Am!　On your marks.　Get set... ...Go!

ふざけ音—3

thingumajig and whatsisname
あれ何だっけ，誰だっけ

A TYPEWRITER THAT REMEMBERS THINGUMAJIG AND WHATSISNAME.

Your secretary may well have the memory of an elephant, but she almost certainly has a much lower boredom threshold.

Because a high proportion of what she does is to type repetitive data and information like names and addresses.

To take the drudgery out of your secretary's life and to avoid the office being over-run with elephants, we'd like to introduce you to the remarkable Olympia Electronic Typewriters.

Namely the ES105 and the ES110.

They have a mind that's every bit as retentive as that of an elephant's. They'll quite happily handle anything from a regular customer's name and address to a 1,500 word report.

Simply type in the normal way, then press a button and whatever you need to recall is stored for future use.

And, as an option, the ES110 has an external memory facility for storing unlimited amounts of text on cassette.

For more information, fill in the coupon and send it to the address below and your secretary need never think of another one again.

Olympia International
Equipment to help you mind your own business

Write to: Stan Simpson, Customer Services, Olympia International, Freepost, Olympia House, 199/205 Old Marylebone Road, London NW1 5QS or ring 01-262 6788. Please send me details on:—

| ES100 ☐ | ES101 ☐ | ES105 ☐ | ES110 ☐ | ES150 ☐ |
| Includes electronic automatic correction. | Includes decimal tabulation. | Includes 4 pitch selections + IK phrase store. | Includes text editing + 4½K memory. | Includes calculating + Invoicing facility. |

Name _____ Business Address _____ Tel. No: _____

昔，タイプライターというものがありました．学校でも会社でもこれを使って試験や書類を作っていました．会社にはタイピストという人がいて正式の文書を作っていました．秘書になる人は必ずタイプが打てなくてはなりませんでした．

　こんな説明が必要になる時代がすぐそこに来ているようである．タイプライターからメモリー（記憶機能）のついたタイプライターができた．メモリーつきタイプライターからワープロ（word processor）になるのはあっという間であった．その初期のワープロの広告である．

　ワープロやパソコンはどんどん機能が良くなっていく．ソフトの開発も目ざましい．それほどの変わりようではないにしても，言葉もどんどん変わっている．英語も日本語も変わっていく．イギリスのBBC（British Broadcasting Corporation＝イギリス国営放送）はさまざまな英語の変化に抵抗して放送英語のマニュアル本を出版した．それはアメリカ英語の影響を意識して作られたもののようである．

　幼児の言葉でrの音が「い」と発音されるのを聞いたことがある．友人の家に招待された．食事の途中で3歳の男の子が「もーい」という．一瞬ぎょっとして友人の顔を見た．友人曰く「moreのことだけど，子供はrの音が発音しにくくて，「い」というんだよ」「モア（もっと）」と「もういい」では全く反対である．「日本語で'もういい'は'ノーモア'だ」という私の言葉を聞いて友人一家は大笑いをした．

　閑話休題．

　大人がふざけていう言葉やその発音がそのまま広告に使われることがある．この広告のヘッドラインにあるthingumajig, whatsisnameはどちらも，忘れたり，初めから知らない人や物の名前を「あの何とかさん」とか「あれ何だっけ？」などというときに使う言葉である．もともとはふざけて使った言葉が定着したものである．

　whatsisname は What is his name? をふざけて速くいうときの音をそのまま名詞にしたものである．「ジョン何とか」は John Whatsisname, 「あの何とかさん」は Mr. Whatsisname である．

　この広告では，象がタイプライターをたたいている．象は記憶力が良いとされ，そこで記憶のシンボルとして使われているのである．そこでタイプライターのオリンピア（Olympia International）は次のようにいう．

　　象の記憶力がいかに良くても，オフィスに象を何頭も飼っておくわけにはいきません．
　　オリンピアのメモリーつきタイプライターをどうぞ．

> **Barr games.** John Barr is as smooth as a billiard ball but tastes much better. There are more than forty whiskies in John Barr, which is blended for smoother flavour and rounder body than most other brands of Scotch. If you like your Scotch smooth, you'll enjoy John Barr.
>
> **John Barr**
> **smootherr by farr.**

　このコピーも，ふざけて発音する通りに書いたものである．
　John Barr はスコッチ・ウイスキーのブランド名である．
　この名前の Barr にかけて r 1 個で終わるほかの言葉，bar, smoother, far に r を余分につけたものである．ふざけたユーモア（facetiousness）を使ったヘッドラインである．
　ジョン・バーを飲みすぎてスペリングを間違ったわけではない．

ふざけ音 — 4

One, two, free!
ワン，ツー，フリー！

　この広告のヘッドラインは音の特徴を使ったものである．
three の th と free の f の音の類似性をうまく使っている．
　我々日本人には全然違った音に聞こえるけれども，音の分類では th と f は摩擦音という同じ項目に入る．
　例えば，「2人とも」というとき，both of them を bof o' fem（ボッフォフェム）と発音する場合がある．特に，カジュアルな会話の中でアメリカ人がよくこんな風に発音する．three と free はたいへんよく似た音なのである．
　広告はスコットランドへの観光案内である．パンフレットの1冊は「私のためのスコットランド（Scotland's for me）」，もう1冊（2冊め）は「82年スコットランドの旅（SCOTTISH HOLIDAYS '82）」．ヘッドラインの意味は，次のようになる．

　　2冊ともに無料です
　　今すぐお申し込みください

One mile in three for free.
3マイルの中の1マイルは無料

イギリスの学生のための割引旅行案内である．
　国際学生証を見せれば，イングランド，ウェールズならどこでも，3マイルのうち1マイルは無料，すなわち3分の2の料金で旅行できるというのである．
　イギリスは公的には，U.K.（United Kingdom）と呼ばれる．国連の会議でイギリス代表の前に置かれるカードはU.K.となっている．スコットランド，イングランド，ウェールズ，北アイルランドの4つからなる連合王国である．フルネームはUnited Kingdom of Great Britain and Northern Irelandという．
　ただし，スコットランドの人々は自分たちをEnglishとは呼ばず，Scottish，またはScotsと呼び，誇り高く生きている．
　約30年前に初めてスコットランドを旅行したとき，筆者はスコットランドをイギリスと呼び，スコットランド人をイギリス人と呼んだ．スコットランドの首都エディンバラに滞在中，友達になったスコットランド人の青年にたしなめられ，やっと気がついた．私にイギリス人と呼ばれたスコットランド人の気持ちを思うと，申しわけないような，恥ずかしいような，変な気持ちであった．宿の亭主が私に無愛想だった理由が分かった気がした．その夜，宿に帰ったとき亭主に無知を詫びた．亭主の愛想が突然良くなったのはもちろんである．その夜は亭主と遅くまで飲んだ．

頭韻

Battles, bands and banquets.
模擬戦と音楽とごちそう

ウェールズとイングランドには血塗られた歴史がある．13世紀半ば，ウェールズ全土を征服し，イングランドからの自立を獲得したウェールズの大首長ルーウェリン・アープ・グリフィズは「プリンス・オブ・ウェールズ」と称したという．最後の戦いは14世紀であった．この戦いでウェールズを征服したエドワード１世とイングランド軍は，ウェールズが二度と反抗したり反乱を起こしたりできないように，ウェールズのすべての騎士とその家族を殺した．

　ウェールズの人はイングランドへの怨みを長い間忘れることができなかった．それを知るイングランドはイングランドの皇太子を「ウェールズの王子」（Prince of Wales）と呼び，ウェールズをいかに大切に思っているかを示そうとしてきた．初めて「プリンス・オブ・ウェールズ」と呼ばれたイングランドの皇太子はウェールズで生まれたエドワード１世の長男である．こうして14世紀に始まったこの習慣は15世紀以降も現在に至るまで続いている．

　最近スキャンダル続きのイギリス王室であるが，チャールズ皇太子は今も「プリンス・オブ・ウェールズ」である．皇太子妃だった今は亡きダイアナ妃は「プリンセス・オブ・ウェールズ」（Princess of Wales）であった．

　その後ウェールズはイングランドの一部となり，公の場所ではウェールズ語も禁止された．しかし，20世紀になるとウェールズ語を学校で教えようという運動が起こり，実施されている．

　この広告はウェールズのお城祭りの宣伝である．

　　　　Battles, bands and banquets.
　　　　Parades, plays and pageant.
　　　　模擬戦と音楽とごちそう
　　　　パレードと劇と仮装行列

　我々は小説を読むとき，ふつう声は出さない．いわゆる黙読である．しかし全く音と無関係かというとそうではない．頭の中で文字を音声になおしている．このことの典型的な例がこの広告のヘッドライ

ンである．

　広告のヘッドラインには，声に出して読むとなおいっそうインパクトの強くなるものがある．意味に工夫を凝らすだけでなく，音声にも工夫を凝らしているものである．その多くは「押韻」と呼ばれる手法で作られている．

　ここでは，1行目は子音だけでなく ba- の音，その次の文では p- の音で始まる単語を使った頭韻法である．声に出してみると，バトル，バンド，バンクェットの ba という音の響きは柔らかく，パレード，プレイ，ペイジェントの p の音はシャープである．うまく「音特徴」（sound symbolism）を使っている．

　日本中，今や「村おこし」運動が花盛りである．こんなセンスのあるヘッドラインで呼びかけると効果があるかもしれない．

脚韻

You can't SELL if you don't TELL!
言わないと売れませんよ

> You can't SELL if you don't TELL!
> Good sales literature is the backbone of every business. For colour leaflets, brochures and catalogues come to London's leading specialist printers.
> Special offer 5,000 colour leaflets £199. Write or phone today for free brochure and samples of our work. Ask for Mr. Byrne or Mr. Harris.
> **PRINTING ARTS LTD.**
> 7-9 Heathman's Rd. London SW6　01-731 3115

　これは印刷会社プリンティング・アーツ社（Printing Arts Ltd.）の広告である．
　　　すてきな宣伝パンフレットは商売の秘訣
　　　4色刷りのパンフレットお安くします
　　　何ごとも宣伝が第一です
というのである．ヘッドラインの tell（伝える）はこの場合，「宣伝する」という意味である．
　普通，英語の詩で韻を踏むといえば「脚韻」（end rhyme）を意味することが多い．しかし脚韻にもいろいろあって，上例の sell と tell のようなものを「完全韻」（perfect rhyme）という．sea と see, blue と blew のように同じ音（同音異綴）の場合は「同音韻」と呼ばれる．

母韻

Air Fares Fair
航空運賃総展示会

Air Fares Fair

Have the security of flying with OWNERS ABROAD. A PUBLICLY QUOTED GOVERNMENT BONDED COMPANY specialising in air travel.

EARLY SEASON GIVEAWAYS

MALAGA £85	IBIZA £60	PALMA £59
GERONA £59	FARO £69	VENICE £79
ATHENS £85	LISBON £89	MALTA £89

Various dates + durations ex Gatwick/Luton

PALMA £65	MALTA £89	GERONA £59
CORFU £89	FARO £79	IBIZA £69

Various dates + durations ex Manchester/Birmingham

All above flights are re⁺

London 01-836 7891/8973/8685 (24 Hrs.)
Guild Hse, Upper St Martin's Lane, WC2
LONDON & MANCHESTER OFFICES OPEN SAT 9AM—1.30PM

Manchester 061-834 7013 (24hr)
King's House, 42 King Street West

- BRIGHTON 0273 25781
  Mitre House, 149 Western Road
- LIVERPOOL 051-708 8544
  415 Coopers Building, Church Street
- BIRMINGHAM 021-632 6723
  King Edward House, New Street
- GLASGOW 041-221 6634/4681
  Olympic House, 142 Queen Street
- NEWCASTLE 0632 321718
  Hepworth Chambers, 26-28 Blackett St
- CROYDON 01-680 9250
  21B George Street, Croydon, Surrey
- LEEDS 0532 460826
  Permanent House, The Headrow
- SOUTHAMPTON 0703 36328
  Prudential Building 97/101 Above Bar St
- CARDIFF 0222 398572
  Royal Chambers, Park Place
- NOTTINGHAM 0602 413790
  Westminster Bldgs, Theatre Squ

ATOL 230

OWNERS ABROAD
Making Your Money Go Further

BARCLAYCARD VISA Access/Barclaycard/Visa/Trustcard
COMPETITIVE CAR HIRE AVAILABLE
Sub to a/tax

この広告にある3つの単語，air, fare, fair は，「エア」という母音だけが同じである．こういう韻は「母韻」と呼ばれる．

　air は airplane で「飛行機」，fare は「運賃」の意味だから，air fares は「航空運賃」のこと．fair はフェア・プレイ（fair play）というときには「公明正大な」という意味であるが，ここではもう1つの「定期市，博覧会」という意味である．

　二重母音や長母音は柔らかい音調を生み出し，時には開放感を与える．こういう音の効果を「音象徴」（sound symbolism）という．

　音と綴りの関係で「同音異綴」と呼ばれる blue と blew は，意味と音の関係では同音異義語（homonym）という．この広告の場合の fare と fair もそうである．

　英語の単語は「子音＋母音＋子音」が基本的な特徴であるから，最後の「母音＋子音」の「押韻」が数的には一番多い．この広告は「完全韻」だけでなく，よく似た音の単語を反復使用する「類音反復」（chiming）という言語学的手法を用いていっそうその効果を高めている．

類音反復— 1

railway to runway
線路から滑走路へ

Railway to runway

Forget about congested roads and the strain of driving for hours on the motorway, or frustrating routes through busy towns and cities. Forget time consuming stops at motels and restaurants. Forget the very high cost, let alone security, of long-stay car parking at the airport or in one of the car parks miles away.

Now, there's a much better, easier way to Heathrow and Gatwick.

It's Railair, the modern rail-to-air service that starts at your local rail or tube station, whether you're coming from North, South, East or West. Simply take one of Railair's many fast, no-fuss connections to London's Airports.

Get the 'Railway to Runway' leaflet from your local British Rail station, or appointed travel agent, and see how easy it is to take off to the airport by train.

Railair Link

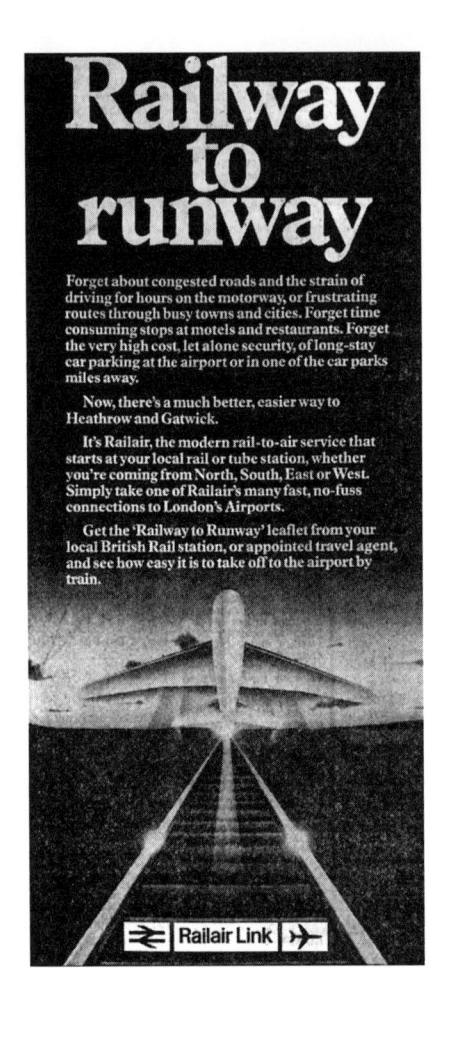

飛行機はいったん乗ってしまえば，落ちない限り目的地に着くのは一番速い．しかし，飛行場までの道が問題である．飛行場は町から離れた所にあるから，どうしても長い時間，車を運転して行くことになる．道路が混んでいれば飛行機の時間を気にしていらいらする．時には前の日に空港ホテルに泊まったり，車で行っても駐車場がなくて遠くに車を止めてというふうに，わずらわしいことも少なくない．

そこでイギリスの British Rail では Railair Link を考えた．ブリティシュ・レイルには近距離列車と遠距離幹線列車がある．近距離列車は主に通勤用で，コミューター・サービス（commuter service）と呼ばれる．遠距離幹線列車はイギリスの主要都市を結ぶ列車で，インター・シ

ティ・サービス（inter city service）と呼ばれる．

　東京には東京駅があって，どこへ行くにもここが中心になっている．しかし，ロンドンにロンドン駅というのはなく，行き先によって発着する駅が違う．市内は地下鉄が整備されているので，地下鉄でターミナル駅へ行くことになる．最寄りの列車の駅でも地下鉄の駅でも，レイルエアという列車で飛行場への直結サービスを利用することができる．この連絡列車に乗れば空港駅まで運んでくれる．

　ロンドンには大きな国際空港が2つある．1つは有名なヒースロー（Heathrow）空港．この空港には地下鉄ピカデリー・ラインのターミナル駅とパディントン駅からの鉄道駅がある．もう1つのガトウィック空港（Gatwick）にはヴィクトリア駅からの直通列車が走っている．

　さて広告の話に戻ろう．このヘッドラインの2つの単語，railwayとrunwayはともに最初の音がrで始まる「頭韻法」，最後はwayで終わる「脚韻法」が使われている．このように頭韻と脚韻を結合し，よく似た音の単語を連続使用する方法「類音反復」を使っている．

　すてきなヘッドラインではあるが，どんなに空港が近くても，どんなに飛行機が便利でも，筆者は飛行機が嫌いだ．外国へ行くときにはしようがないけれども国内線には乗らない．外国から成田空港に帰ってくるときには，大阪の空港まではそのまま無料もしくは割引料金で乗ることができる．しかし，それでも成田で降りて東京で1泊したり，新幹線で大阪へ帰ってくる．鉄のかたまりが空を飛ぶのはどうしても信用できない．

類音反復—2

simmered, ... summered
湯気の中で避暑

> KASHMIR. A leafy, cool, garden of Eden nestling high in the foothills of the Himalayas. Forbidden by the local Maharajah to own land, the British — hot from the plains — took to the water, building extravagant houseboats in walnut (with all mod cons), and launched them onto Srinagar's lovely Dal Lake.
>
> They've been there ever since. (The houseboats that is.) Indeed, the suggestion has been made that they kept the British Raj afloat. Whatever the truth may be, though the sun has set on the Empire, the houseboats remain unsinkable. And Kashmir continues as lovely as ever.
>
> **HERE, WHILE EVERYONE ELSE SIMMERED, THE BRITISH SUMMERED.**
>
> The first words of a passage to India begin with your name and address. Send for a free colour brochure to: The Government of India Tourist Office, 7, Cork Street, London W1X 2AB. Telephone: 01-437 3677/8. Prestel: 3442500.
>
> Name
> Address
>
> ST K13
>
> **india** THE EXPERIENCE OF A LIFETIME.

　天国は，洋の東西を問わず，この世に住む人間すべての希求する所である．ヨーロッパの人々にとって，それはアフリカのカナリア諸島であったり，インド洋に浮かぶ島であったりした．インドの奥地にエデンの園があると考えたともいう．ヒマラヤのふもと，カシミールもまたエデンの園があるという場所であった．

　「天国」を表わす英語の単語はいくつかある．

　ヘブン（heaven）は「キリスト教の神と天使と聖徒の住む場所」であるという．

　パラダイス（paradise）は「天国」という意味のほかに「現世にある極楽」という意味でよく使われるが，もともとペルシャ語で「古代ペルシャの王たちが酒池肉林の楽しみにふけった，堀で囲まれた広い庭園」の意味であった．

　エデンの園（the Garden of Eden）はパラダイスと同じく「極楽」を意味する言葉であるが，「神が最初の人間，アダムとイブのために作った楽園」ということである．

ちなみに，人類の始祖，アダムとイブが天国から追放されたとき，天国から地上に持って来た唯一の植物がアロエ（aloe）であるという．
　ともあれ，この広告はロンドンにあるインド政府観光庁（The Government of India Tourist office）の，この世の楽園への旅行案内である．

> Here, while everyone else simmered,
> the British summered.
> ここでは，みんなが暑さでウダッているのに，
> イギリス人だけは避暑をしている

ボディコピーでは次のように言う．

> マハラジャ（Maharajah）によって，土地の私有が禁じられ，イギリス人はくるみの木で作ったボートを住居にして，ダル湖の近くに住んでいた．本当の話かどうかは別にして．
> カシミールの美しさは今も昔も変わらない．

　ヘッドラインのsimmerというのは，熱で煮えたぎるという意味である．IがUに変わっただけのsummerは，「夏」という意味のほかに，「避暑をする」という意味がある．頭韻（alliteration），脚韻（rhyme）両方の手法であるが，1文字違いで全く反対の意味になる．心にくい言葉の使い方，「言葉遊び」（play on words）の見本のようなヘッドラインである．

More verve. Less derv.
より強く．より安く

You can save £945 a year with TL Turbo.

Increasing work output and reducing costs is today's business challenge.

With Bedford's TLs, the middleweight truck operator has a better opportunity to meet that challenge. Because being more cost-effective is what we mean when we say – Bedford Means Business.

More productivity.
Developments to our 3,6 and 5,4 litre turbo diesels have resulted in 30% to 34% increases in power and torque compared with their naturally aspirated equivalents.

This makes the TL's generous payload potential useable to the full, in a truck that's quieter, more flexible and responsive to drive.

More economy.
These remarkable engines also offer a potential saving of up to 20% on derv over comparable non-turbo predecessors. In terms of hard cash, the 5,4 litre/135 bhp turbo could save you £945 on derv in 60000 miles. Even at 30000 miles a year you could save £472. Non-HGV TLs with the 5,4 litre turbo can return a remarkable 22 mpg.

More strength.
As part of their development, these engines and the 8,2 litre turbos also benefit from a host of engineering improvements for strength and durability. Promising less downtime and reduced operating costs over a long life. And all this is backed by our 12 month, unlimited mileage warranty.

Only Bedford do it.
Only Bedford can provide the benefits of turbocharging as standard throughout a whole range of middleweights for more power, and more flexibility.

More convenience and comfort.
The TL's cab can be tilted quickly to expose the whole front end for easy maintenance.

The big glass area gives great all-round vision while the cab itself is totally equipped to fight off driver fatigue. So, if you're looking for a truck to improve your business, go to your Bedford dealer. He can fix you up with a TL demonstrator so you can judge for yourself whether we've delivered the goods. After all, it's what we're in business for.

BEDFORD MEANS BUSINESS

BEDFORD COMMERCIAL VEHICLES, P.O. BOX 3, LUTON, BEDS. LU2 0SY.

verve は，もともと絵画や音楽といった芸術作品を評するときに使われる言葉である．作品に感じられる気迫や情熱を表わす言葉である．

　derv は Diesel Engine Road Vehicle のそれぞれの頭文字を取ったもので，ディーゼル・エンジンの燃料を意味する言葉である．

　広告のヘッドラインは，短く誰でもが知っていて，口調のいい言葉が使われるのが普通である．

　verve, derv は両方とも短く口調のいい言葉ではあるが，一般的ではない．専門的な言葉や外国語を使って，読者（消費者）の購買意欲をかきたてるのである．不特定多数に対するメッセージではありません．その道に深い知識と経験のある「あなた」だけにお知らせします．というわけで，消費者の優越感がくすぐられる．衣類，ファッションの分野ではフランス語が使われる．

　このヘッドラインでは，more と less という反意語（antonym）が使われ，verve と derv は「脚韻」で，しかもそれが 1 音違いである．視覚的にも聴覚的にもすっきりしたヘッドラインである．これがもし More power. Less oil. だったら，何の変哲もない文章になってしまう．そのインパクトの差は歴然としている．この手法は「難語使用」（Cacozelia）と呼ばれるものである．コピーライターに脱帽．

視覚韻

Vantastic value!
嘘のようなもうけ

VANTASTIC VALUE!
1981 M.A.N. - VW Vans & Light Trucks
AT COMPETITIVE PRICES!
We have a wide selection in stock at amazing prices!

M·A·N
VW
01-567 8862

Telephone with your specific requirements and ask for a quotation. You'll be agreeably surprised!
CALL MALCOLM RACKLEY OR CANDIDA SCOTT TODAY!
Attractive Leasing and Finance.
NORMAND (Continental) Ltd.
131-137 Little Ealing Lane, W.5.
A member of the Normand Group of Companies

　意味と音の組み合わせは，おもしろいコピーの基本のようである．語呂あわせの単純な言葉遊びに始まって，音と意味の遊びにはさまざまな組み合わせがあって，何日もの間楽しませてくれるコピーもある．一見，何でもないような言葉の組み合わせにも，コピーライターのセンスと汗が光っている．

　さて，このヘッドラインを理解するには，まずこの広告のスポンサーがフォルクスワーゲンと関係があること，フォルクスワーゲンがドイツの車であること，宣伝される車がvanであることを知って，なおかつドイツ語の知識が少しだけ必要である．

　フォルクスワーゲンはVWと省略される．これは，民族，民衆，大衆という意味のvolkという語と，自動車を意味するwagenという語の組み合わせで，ドイツ語ではvは英語のfのように発音され，wは英語のvのように発音される．volkは「フォーク」，wagenは

「ヴァーゲン」である．ちなみに，volk は英語の folk，wagen は英語の wagon である．どちらの語もフォークソング，ワゴン車というように日本語で我々は日常的に使っている．

　英語の fantastic（ファンタスティック）をドイツ語の発音をもじって書いたのが，vantastic である．ドイツ語式に2つの単語を読むと「ファンタスティック・ファリュー」と「頭韻」のように聞こえる．これはイギリスのサンデー・タイムズ紙に出た広告である．英語での読み方はやはり「ファンタスティック・ヴァリュー」である．発音すれば「韻」ではないが，見た目には「韻」を踏んでいるように見える．このように，書いた文字だけなら韻を踏んでいるように見えるものを，「視覚韻」（eye-rhyme または printer's rhyme）と呼ぶ．

擬音

Z Z Z Z Z ... £
グーグーグーガー…カーネー

WHAT'S YOUR MONEY DOING IN YOUR CURRENT ACCOUNT?

ZZZZZ

WITH BANKSAVE IT COULD BE EARNING HIGH BUILDING SOCIETY INTEREST WITH A FREE BANKING SERVICE.

ZZZ££

BankSave is a unique banking service. Introduced by the Alliance Building Society and the Bank of Scotland to offer the best of both worlds.

It's a building society account and a current account in one.

On your building society account you earn 8.25%* net interest p.a. And 9.25%* if your balance is £2,500 or over.

Quite simply, the money you pay in goes straight into the building society. A sum is then transferred to the bank account which is topped up automatically to meet the cheques you draw so that your money never lies idle. All this is done for you.

As you see below, your bank account gives a full banking service.

You get monthly statements – and free banking, as long as your account remains in credit.

To open a BankSave account, you need £500, but you don't need to maintain this level. After that, you can simply pay in your salary.

You can also transfer the money from your bank current or deposit account to earn more interest.

So wake your money up, and get it to make you money.

For more information, visit your nearest Alliance branch, (see Yellow Pages). Or write to the Alliance Building Society, FREEPOST, Hove, East Sussex BN3 2ZU.

ALLIANCE BankSave

ALL BUILDING SOCIETIES AREN'T THE SAME.

*8.25% worth 11.79%, 9.25% worth 13.21% gross to basic rate taxpayers. Interest rates quoted are variable.

初めてアメリカに行ったとき，牛が「モーモー」と鳴き，にわとりが「コケコッコー」と鳴くのを聞いて，ほっとした．英語では牛の鳴き声が「ムー」(moo)，にわとりの声は「コッカードゥードゥードゥー」(cock-a-doodle-doo）と習っていた．人間のくしゃみはアメリカでも「ハックション」と聞こえたし，鎖の音は「ガチャガチャ」であった．

　こういう音を表わす言葉を「擬音語」，また「キラキラ」「ノロノロ」などを「擬態語」と言うが，英語では両方を onomatopoeia（オノマトピア）という．

　アメリカの友人，ロバート・ピューラ博士は一般意味論の専門家である．ある国際学会で，出席している外国の学者先生方をモデルに1つの実験を行なった．あらかじめテープレコーダーにいろいろな音を録音しておき，1つずつ音を流した後，一定の時間内にその音を英語で書いてもらった．自分の国の言葉なら簡単な音の描写も，外国語の英語でとなるとほとんどの人が書けなかったそうである．

　一般意味論は，我々が普段何げなく当たり前にしていることを，もう一度理論的に考えなおして，正しい自然認識と人間関係の確立を目ざす学問である．その教育訓練によって，我々の持っている多くの偏見が取り出され，矯正されていく．

　私の行動は彼には格好の研究対象になったようである．同時に私のほうは，彼のおかげで自分の持っていたいろいろな偏見が自覚できた．その後の教員生活の中でずいぶん役に立っている．

　「成績の良い学生」を「頭がいい」という人がいる．反対に，「成績の悪い学生」を「頭が悪い」という．成績と頭の良し悪しはかならずしもイコールではない．特に現在の日本の学校では，疑問を持たず，考えず，ただひたすら暗記することが勉強である．成績と頭の良し悪しを結びつけるのは，深く考えず短絡的に1つの事実で他のすべてを一般化してしまう，典型的な偏見の例である．

　さて，この広告のヘッドラインのＺＺＺはいびきの音を表わして

いる．日本語では「グーグーグー」である．

What's your money doing in your current account?
Z Z Z Z Z
今の口座であなたのお金はどうしています？
グーグー眠っています

　次の文章は「バンクセイヴに変えれば高い金利でお金がたまります」ということである．金融機関アライアンス・バンクセイヴ（Alliance BankSave）の広告である．

　いびきの音Zから，最後にポンドを表わす記号£に変わるところが，コピーライターの工夫であろう．お金を「眠らせたまま」にしないで「効率よく」運用しましょう．これがヘッドラインに込められた意味である．

　楽しみはヘッドラインだけにしておきましょう．バブルがはじけて大変な目にあっている人が大勢います．

Part-3
比喩・慣用表現・ことわざ・故事

比喩—1

Free as a bird.
鳥のように自由

ヘッドラインにはいろいろなレトリックが使われる．さまざまな工夫をレトリックの道具（rhetorical device）と呼んでいる．なかでも最もよく使われる手法が「比喩」である．

　比喩の方法にはいろいろあるが，最も分かりやすく，そのために最もよく用いられるのが「直喩」(simile) である．

　　　　white as snow　　　雪のように白い
　　　　black as coal　　　　石炭のように黒い
　　　　busy as a bee　　　　蜜蜂のように忙しい

このように，形容詞（白い，黒い，忙しい）に最もふさわしい名詞，雪，石炭，蜜蜂を使って，その形容詞を強める表現方法である．

　大空を自由に飛びまわる free as a bird（鳥のように自由）というのも直喩としてよく使われる．

　ヘッドラインの多くがそうであるように，この広告のヘッドラインも二重の意味をもっている．free という言葉には「自由」という意味のほかに「無料」という意味がある．ボディコピーは言う．

　　　下のクーポン券に必要事項を記入して送ってください．それだけで，協会の会員になれます．
　　　英国鳥類保護協会の会員には，『ミッチェル・ビーズリーのバード・ウォッチャーのためのポケット・ガイド』という本を無料で送ります．

ただし会員になるのは free ではない．年会費9ポンドを払ってメンバーになれば，定価4.55ポンドの本が無料でもらえますということである．

　フリーという言葉の2つの意味を使った言葉遊びと直喩を組み合わせたヘッドライン．簡潔で，しかも誰もが日常的に使う表現が，鳥好きの人の心に迫るキャッチフレーズである．

　この広告のスポンサー "RSPB" は英国鳥類保護協会．the Royal Society for the Protection of Birds の頭文字をとって団体名としたものである．

比喩—2

Fee as a bird.
鳥のように自由な料金

①

Fee as a bird.

In a world where the decision to build is caught up in every kind of financial knot and tangle, the Bovis Fee System provides the only escape:

Bovis have built exclusively on the Fee System for more than 50 years. And the benefits to the Client have always included not only work of a high quality – but every kind of gain in terms of time and cost.

The Bovis Fee System simply soars above any other system of building.

(You'll find it fully explained in 'The Client's Guide to Construction,' available from Bernard Hodgson, Marketing & Sales Director, Bovis Construction Limited, Bovis House, Northolt Rd., Harrow, Middx. HA2 0EE. Tel. 01-422 3488.)

Bovis
Bovis Construction Limited
Operating the fee system of building.

②

Humming Bird, Bovis.

Observed regularly on the site board throughout Britain, Jan-Dec. (This species is growing rapidly in numbers and threatens to replace less intelligent and adaptable builders altogether.)

Key ▬ Humming Bird, Bovis.

Widespread in North, South, East and West of the British Isles (including all regions in between). Only known enemy, the Tender Dodo Bird, but has large number of unsuccessful imitators. Species noted for wide range of building activities, among them:

The Bovis Fee System.
Bovis Management Agreement.
Bovis D.M.C. (Design, Manage, Construct).
Bovis Renovations.
Bovis Construction Management.
Bovis Project Management.
Bovis Engineering Management.
Bovis Coverspan.
Bovis Fireplan.
Bovis Consultancy.
Bovis Rescue.
Bovis Joint Ventures (often seen in Europe).

Humming Bird, Bovis, answers immediately to the call of 01-422 3488.

Bovis
Bovis Construction Limited
<u>All</u> you need to know about building.
Bovis House, Northolt Road, Harrow, Middx. HA2 0EE.

①も②も住宅建築会社ボーヴィス（Bovis）の住宅金融システムの広告である．
　人口に膾炙した表現はよくその一部を変えて用いられる．直喩の中でも free as a bird（鳥のように自由）は特によく使われるようである．
　①では，free の r を取って，fee（料金）という言葉に変えている．
　　　50年以上の歴史を誇るボーヴィスは，その仕事の質の高さとともに，時間と料金でもお客様にお喜びいただいてきました．
と誇らしげに宣伝している．
　ボーヴィスは自らをハミング・バードと呼んでいる．ハミング・バードは日本語では「ハチドリ」と訳されている．蜂のように小さく，種類は多いがいずれも色鮮やかで，飛ぶときにはその小さな羽根を1秒間に80回も上下させるという．このときにたてる音も蜂の羽音に似ている．英語では，賑やかさと勇気の象徴だそうである．イラストの右下の鳥がボーヴィスのハミング・バードである．
　広告②ではヘッドラインがずばり，「ハミング・バード，ボーヴィス」となっている．この鳥の名を借りて自社の優越性を訴える．
　　　ハミング・バード（ボーヴィス）はイギリス中で急速に増加しつつあり，この鳥より知能が劣り，適応性も少ない建築会社に取って代わろうとしている
　現在絶滅の危機に瀕している種は多い．絶滅した鳥として，ドードーは特によく知られている．しかし，ドードーがハミング・バードの天敵であったことはあまり知られていない．
　　　ハミング・バードの唯一の天敵はドードー．
　　　ドードーは絶滅したけれども，ドードーを真似る鳥はまだまだ残っています．ハミング・バード・ボーヴィス社を倒そうとする同業他社の中には，建築一般を手がける有名会社もあります．しかしご満足いただける会社はボーヴィスだけです．
　ハチドリがイギリス中に貴重なトリとして栄えているように，我が「ハチドリ社」の繁栄にもご協力をという広告である．

比喩— 3

swollen belly
ふくらんだお腹

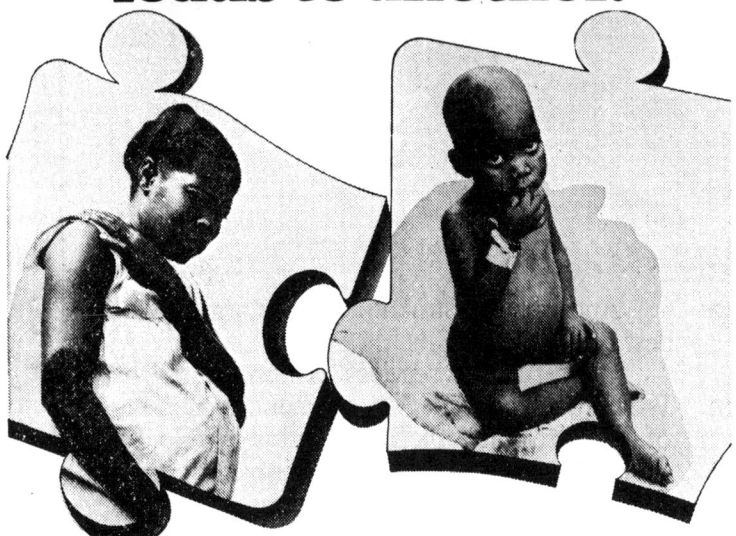

One swollen belly often leads to another.

Nobody wants to give birth to a baby which is going to die: yet one in every ten babies born into the world die before their first birthday.

Ironically, some children die with a *swollen* belly not from overeating but from a severe protein deficiency known as KWASHIORKOR – which literally means "the disease of the child displaced from the breast."

Frequent pregnancies often cause malnutrition when the next baby, coming too soon, deprives the older one of the mother's milk. Births too soon, too close and too many are major reasons for death among infants and mothers.

Family Planning greatly improves the health of mothers and children and breaks the vicious circle of unplanned pregnancies, mother and child malnutrition and infectious disease.

Population Concern is doing just that by funding voluntary family planning and mother and child health programmes around the world. In other words preventing, rather than just relieving, the problem.

If this makes a lot of sense to you please help. The task is overwhelming. Your good-will is vital. Your support is urgent.

POST NOW TO: Population Concern,
231 Tottenham Court Road,
London W1P 0HX

Population Concern

Please send more information ☐   ST

I enclose my contribution £_____

Name_____

Address_____

POPULATION CONCERN
Working towards Every Child a Wanted Child

写真のふくらんだお腹は妊娠と栄養失調を表わしている．
　アフリカの飢餓問題は深刻になる一方である．初めは部分的な問題であった．慢性的な水不足を解決しようと，井戸を掘った．地下水が出ると周囲に草が生えはじめた．ヤギを飼っていた家族は，10頭，20頭，とその数を増やしていった．ヤギは他の草食動物と違って草の根まで食べてしまう．ヤギの通ったあとには何も残らない．
　汲みあげる地下水は何十年何百年もかかってたまった水だから，伏流水のように次々と湧いてはこない．水位が下がれば井戸をより深くする．これを繰り返すうちにアフリカの砂漠はどんどん周囲に広がっていった．今ではその井戸も枯れて元の状態よりも悪くなってしまった．
　増やした家畜は水もなく餌になる草もなく，次々と餓死していった．草がなくなり家畜が死ぬと，次は人間の番である．多くの人が餓死する一方で，生まれてくる子供の数は増え続ける．
　世界の人口は増え続け，食料難を初めさまざまな問題を引き起こす．
　文盲率の高さ，家族計画や産児制限についての無知．女性に十分な知識があれば，ある程度は妊娠を避けることができる．自分の命を守り子供の命を守るために，女性に教育を授けることこそ今最も大事なことではないだろうか．生まれたばかりの赤ちゃんを抱え，小さな子供の手を引いて，難民キャンプにやって来る母親．子供たちのお腹は，栄養失調のために例外なく大きくふくらんでいる．

　　　　One swollen belly often leads to another.
　　　　１つのふくらんだお腹が次のふくらんだお腹に結びつく
　大きなお腹(swollen belly)で妊娠と人口問題，栄養失調と食料問題を示しているのは，家族計画を啓蒙し，この悲惨な悪循環を止めようとする運動団体 Population Concern の募金広告である．

慣用表現—1

Keep the change.
変化を続けよう

Keep the change.

Change to the new DPS 7 medium computer system.
You'll never want to change again.

The new Honeywell DPS 7.
A system designed to replace your existing computer. DPS 7, with its technology and facilities for on-site expansion, is the system you'll not easily outgrow.
DPS 7 is designed to meet the challenge of modern business. It provides personal computing facilities and the support of large terminal networks.
It is also supported by a wide range of applications – embracing manufacturing, distribution, management science and financial modelling.
Come over to DPS 7.
The change will do you good.

Honeywell
computer systems

To: The Communications Department,
Honeywell Information Systems Limited,
Great West Road, Brentford, Middlesex TW8 9DH
01-568 9191, ext. 471

Please tell me more about the DPS 7.

Name
Position
Organisation
Address
Telephone

アメリカのクリントン大統領は「変化のとき」(time for change) を選挙スローガンにして当選した.

「転石,苔を生ぜず」(A rolling stone gathers no moss.) という諺がある.住居や職業をしょっちゅう変えてばかりいては,生活が安定せず,財産もできず,地位も上がらない.子供のころそのように母に教えられた.イギリスでもこの諺は日本と同じ意味に解釈される.

しかしアメリカでは,この諺が「同じ1つの会社でずっと働いているのは能力のない証拠.能力とやる気のある者はどんどん会社を変わるべきである」という意味になる.経済的に裕福になれば,それにふさわしい家に住むべきである.こうしてアメリカでは毎年約20〜30パーセントの人が住居を変えている.

第二次世界大戦後の日本の町は奇跡的な速さで復興を遂げた.これは日本の家屋が木造建築であったからだという.石やレンガではこうはいかなかっただろう.ドイツでは今でも第二次大戦のときの弾丸の跡が建物のあちこちに残っている.20年前には爆弾で半分壊された建物がまだ残っていた.

日本ではその後,消費文明という名のもとに古い物がどんどん捨てられていった.今でも粗大ごみの日には,まだまだ使えそうな,冷蔵庫,ベッド,机,テレビ,タンスなどいろいろな物がごみとして出される.イギリスやオーストラリアから来ている友人は,その中から自分に必要な物を選んで持ち帰って使っている.

あるとき,世界の奉仕活動の父と言われるアレック・ディクソン博士のお宅で食事をごちそうになった.ワインの栓を抜くとき,博士は万年筆のようなものを取り出した.キャップを取ると中に先のとがった針がついている.それをコルクの栓に突き通した.そしてその不思議な器械をポンプのように上下させた.すると徐々にコルクが上がってきて,最後にポンという音がして,コルクが抜けた.よくコルクを半分ワインの中に落とす私は感動してしまった.博士は得意げに説明してくれた.

「10年ほど前に1ポンドで買ったポンプ式のワインの栓抜きなんですが，去年壊れて，製造会社に送ったら，修理して送り返してくれたんですよ．無料でしたよ．この会社は良心的ですね．普通は5年間しか保証しないのにね」

　5年間！　5年間の保証でも日本では考えられないのに，そのうえ10年近く前にたったの1ポンド（約200円）で売った品物を無料で修理するとは！

　なぜか，これがイギリスなんだと思った．古いものを大切に使う．こわれたら修理する．どんな観光地やお城を見たときよりもうれしかった．

　次の日，早速デパートの家庭用品売場に行って，同じ物を10個買った．友人に最も喜ばれたおみやげであった．

　個人の生活用品は古くてもいいが，会社としては品質管理と生産効率に運命がかかっているから，常に新しい効率の良い器械を導入したい．特に，最近はコンピュータを使って会社の無駄をできるだけなくそうとしている．社会の変化についていくことはもちろんだが，コンピュータの変化にもついていかなくてはならない．

　そこでこのヘッドライン，Keep the change. は，「改革を続けよ」「買い換えを続けよ」という意味になる．普通は「おつりはいらないよ」という意味の慣用表現である．文章がいくつもの意味になる言葉遊びの例である．

慣用表現—2

Mind your own business.
仕事を大事に

ヘッドライン Mind your own business. は「よけいなお世話だ！」「人のことに口出しするな！」という意味の慣用表現である．文字通りに訳すと「自分のことだけ気にかけていろ」である．

business を本来の意味の「商売，会社」と解釈すると，「自分の商売を真剣に考えよ」という意味になる．

文房具，事務用品の大型チェーンストアWHスミス（WH Smith）の広告で，商売道具を大切にするなら当社のものをというわけである．

慣用表現—3

Take your time!
ごゆっくり

　株式会社スイス時計（Watches of Switzerland Ltd）の広告である．ヘッドラインは「ごゆっくりどうぞ」という意味の慣用表現．

　しかし，time にはいろいろな意味がある．「時間」という意味に取るとこのヘッドラインは「時間をかけなさい！」ということになる．「好機」の意味なら「チャンスを逃がすな！」である．時計の広告であることから，「好きな時計を選びなさい！」と言っているようにも見える．

ことわざ―1

Seeing is believing!
百聞は一見にしかず

```
HURLINGHAM SQUARE SW6
SEEING IS BELIEVING!
SHOWHOUSE OPEN OVER EASTER.
Luxury 4/5 bed, 2/3 bath houses
from £265,000 freehold
```

Elegant houses with classical façades, ornamental balconies and railings form this stunning new London square. The ultimate in luxury living.

Our showhouse is a perfect example of the quality you can expect. Superb bathrooms with a relaxing whirlpool bath in the master en suite. Outstanding continental kitchens even include microwave, dishwasher and ceramic floor and wall tiles. Gas central heating, open fireplace, carpeting, private gardens, parking and much more, are all protected by closed circuit TV security linked to the electronic main gates.

A house exchange service and, for our investment buyers, a full letting and management service are available.

Our Peterborough Road Showhouse and sales office are open daily from 11am – 6pm or call (01) 736 5539 for further information.

VIEW AND RESERVE NOW

HURLINGHAM SQUARE
Peterborough Road, SW6

BARRATT
HOUSEBUILDER OF THE YEAR 1987. THE WHAT HOUSE? AWARDS
Barratt Central London Ltd.,
1 Wilton Road, London SW1V 1LL. Tel: (01) 630 5721.
Prices correct at time of going to press.

　「百聞は一見にしかず」にあたる Seeing is believing. は，日本の英語の授業で必ず習う諺である．「動名詞」の説明に必ず使われる．

　この広告は住宅建築会社バーラット（Barratt）がモデルハウスを宣伝するものである．

　　クラシックな外見，華やかなバルコニーとその手すり．屋内はまさに完璧．

　　4ないし5寝室で，2ないし3のバス・トイレつきの豪華住

宅，265,000ポンドより．

主寝室はジェットバスつき．台所はヨーロッパスタイル．電子レンジ，食器洗い機を設置．床と壁はセラミックタイル．ガスのセントラル・ヒーティング．

庭つき．ガレージあり．その上，防犯カメラも完備しています．

と説明した上で，

この説明だけでは不十分です．ぜひ一度モデルハウスを見においでください．「百聞は一見にしかず」です．

というのである．

　Seeing is believing. は，ヘッドラインとしてこのままでもよく使われるけれども，少し形を変えても使われる．

SKIING IS BELIEVING.

You won't believe the great skiing holidays Horizon have lined up for you next winter until you pick up our Winter Sports brochure. So drop into your local travel agent today. After all, skiing is believing.

HORIZON

We'll make your skiing holiday a success.

Flights direct from Gatwick, Luton, Birmingham, East Midlands, Manchester or Bristol.
41 Old Bond Street, London. W1X 3AF. Tel: 01-493 7446/5862.
Also, 44 George Street, Croydon. Tel: 01-680 1184.
And BIRMINGHAM 021-632 6282. Also, Transglobe Travel 021-643 2821.
BRISTOL 0272 277213. COVENTRY 0203 56438. DERBY 0332 365858.
LEEDS 0532 448484. LEICESTER 0533 552711. LIVERPOOL 051-709 7601.
LUTON 0582 452277. MANCHESTER 061-833 0322. NOTTINGHAM 0602 46601.
All holidays subject to availability and the Horizon Price Guarantee. ATOL 169.

前ページの
> Skiing is believing.
> スキーをすることは信じること

は，旅行会社ホライズン（Horizon）のウィンター・スポーツへの勧誘広告である．

右の例，
> Loving Is Giving
> 愛することは与えること

は，老人福祉事業に対して援助（募金）を訴える広告．何ともいえない，すてきな呼びかけである．

ADVERTISEMENT

LOVING IS GIVING

Most of us realise that the help from the health and social service for the elderly is diminishing but, it is difficult to imagine the appalling conditions and problems that face many of our elderly who are being left without help or care. Help the Aged are giving that help wherever they can but need your aid to sustain it.

£5 can bring practical help to another lonely person.

£30 helps to provide a Geriatric Day Hospital.

£150 perpetuates the memory of some one dear to you, by inscribing their name on the Dedication plaque of a Day Centre.

Your donation is desperately needed to help old people, so please send to:-

The Hon. Treasurer, The Rt. Hon Lord Maybray-King, Help the Aged, Room ST6, FREEPOST 30, London W1E 7JZ.
(No stamp needed).

ことわざ—2

Practice makes perfect.
習うより慣れよ

PRACTICE MAKES PERFECT

Behind a Hayter you'll find a perfectly groomed lawn. Immaculately striped, with cuttings and leaves collected up as you mow.

Behind a Hayter you'll find 40 years' experience in rotary mowers, each hand-built by craftsmen to last. And last.
From the advanced Harrier 48 with its progressive roller drive, fingerlight controls and optional electric start, to the 16" petrol and electric Hobbys and the rough-grass Hayterette, you can't make a finer investment for your garden.

CELEBRATING HAYTER 40 FORTY YEARS
CELEBRATION COMPETITION
£20,000 OF PRIZES TO BE WON THROUGH YOUR DEALER
Ends June 30th 1987

Find your nearest Hayter Authorised Dealer in the Yellow Pages or write to us for our latest brochure and dealer list.

HAYTER
MAKERS OF THE FINEST MOWERS

Hayters P.L.C., Spellbrook, Bishops Stortford, Herts CM23 4BU
Telephone: Bishops Stortford (0279) 723444. Telex: 81241.

Practice makes perfect. は文字通りには「練習が完全を作る」ということで，「慣れることが完全を作る」という，もともとはラテン語の諺である．日本語の「習うより慣れろ」が見事に当てはまる．
　　芝刈り機ヘイターの通った後には完璧に刈られた芝があるだけです．
　　刈り取り後の見事な縞模様が残るだけ．葉っぱは刈り取りと同時にそのまま集められていきます．
　　ヘイターの背後には，1台1台を手作りで製造する，ロータリー芝刈り機40年の歴史があるのです．
　practice は，ヘイター社（Hayter）40年の歴史を意味している．またヘイターのユーザーに対しては，「機械に慣れてください」という意味でもある．
　perfect は「完璧な芝刈り」（perfect mowing）と「歴史に支えられたヘイターの欠点のない芝刈り機」（perfect lawn mower）という意味が掛けてある．
　創業40周年を祝うヘイター社の記念セールの広告である．

ことわざ—3

The pen is mightier...
ペンは強し

The pen is mightier than a pair of socks.

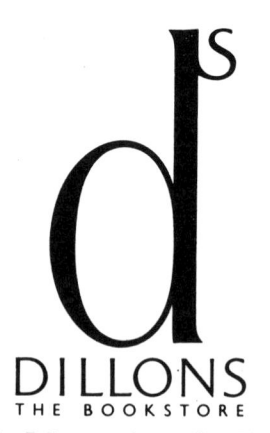

d's
DILLONS
THE BOOKSTORE

No holes, we trust, in the Dillons catalogue. Our 52 specialist departments add up to over five miles of books. This year, give presents that happily find a home on the shelf, not in a bin.

Europe's finest bookstore is at 82 Gower St, London WC1. Tel: 01-636 1577.
Also at Broad Street, Oxford and Wheeler Gate, Nottingham. A Pentos Company.

換喩という，使われる道具によってそれを使う人間，容器によって中身を表わす修辞学的表現方法がある．例えば，「ボトル」といえばウイスキーを意味するというように．

　　　The pen is mightier than a pair of socks.
　　ペンはソックスよりも強し

　このヘッドラインは，The pen is mightier than the sword.（ペンは剣よりも強し）という諺をもじったものである．ペンはもちろん言論や書物によって代表される「文」を意味し，剣はそれによって象徴される「武」を意味している．

　ヘッドラインのもとになっている諺のペンは，それを使って仕事をする人間すなわち作家の意味．剣はそれを使う人間を意味する．

　昔，イギリスで「100人の兵よりも1人の作家を恐れる．ペンによってつけられた傷は死んだ後も消えない」と言った人がいる．同じ意味の言葉である．

　この広告はディロンズ（Dillons）というロンドンの本屋さんのものである．

　クリスマスの贈り物には1足のソックスよりも1冊の本の方が喜ばれます，という本屋さんの声が聞こえてくる．

　最近日本では活字離れが激しくて，毎年全国で100軒の書店がつぶれているという．私のこの小さな本が，靴下よりも靴よりも，ずっと効果のある贈り物になるかどうか．

ことわざ—4

early bird
早起き鳥

NEWHAVEN　　　　　　　**DIEPPE**

IT'S THE EARLY BIRD WHO CATCHES THE CHEAPEST CROSS CHANNEL FERRY.

Earlybirds, Sealink have some money-saving news.

Our breakfast time sailings from Newhaven to Dieppe this summer will be, quite literally, the cheapest way to cross the channel. Many of our car fares are the same or even cheaper than last year.

Two adults, for example, travelling in August on an early morning ferry, with a car up to 5.5m long, would pay just £125 return.

Equivalent sailings from Dover or Ramsgate to Calais, Boulogne or Dunkirk would set you back between £131 and £156 return.

So if you get up early, you can get up to £31 off, with Sealink Dieppe Ferries.

A little nest-egg that would be much better spent on your holiday than on your ticket.

For more details of our low fares, and our extensively refurbished ships, contact your travel agent or phone 01-834 8122.

SEALINK DIEPPE FERRIES

WE'RE FLEETS AHEAD.

ヘッドラインは，The early bird catches the worm.（早起き鳥は虫が取れる＝「早起きは三文の得」）という諺をもじったものである．早起きをすすめる諺はほかにもある．Early to bed and early to rise makes a man healthy, wealthy and wise.（早寝早起きは人を金持ちにし，健康にし，賢くする）．日本語には「早寝早起き病知らず」がある．
　早朝のフェリーはだいたい乗船率が悪いものである．そこでフェリー会社シーリンク（Sealink）は早朝割引を考えた．

　　It's the early bird who catches
　　the cheapest cross channel ferry.
　　早起き鳥はヨーロッパへの
　　最も安いフェリーに乗れます

　朝食時間の航海は最も安く，イギリスのニューヘイブン（Newhaven）からフランスのディエップ（Dieppe）まで8月中は大人2人で往復125ポンドと宣伝する．ドーヴァーからカレーまでの通常運賃は131ポンドから156ポンドである．156ポンドとすると，早起きのおかげで31ポンド節約できるというわけである．
　早起き鳥とはまさに，朝早く起きる人，朝早くから行動する人のことである．
　イギリスからドーヴァー海峡を越えて車でヨーロッパ大陸に渡る人に呼びかける広告である．

ことわざ—5

A cheque in the hand...
手中の1枚

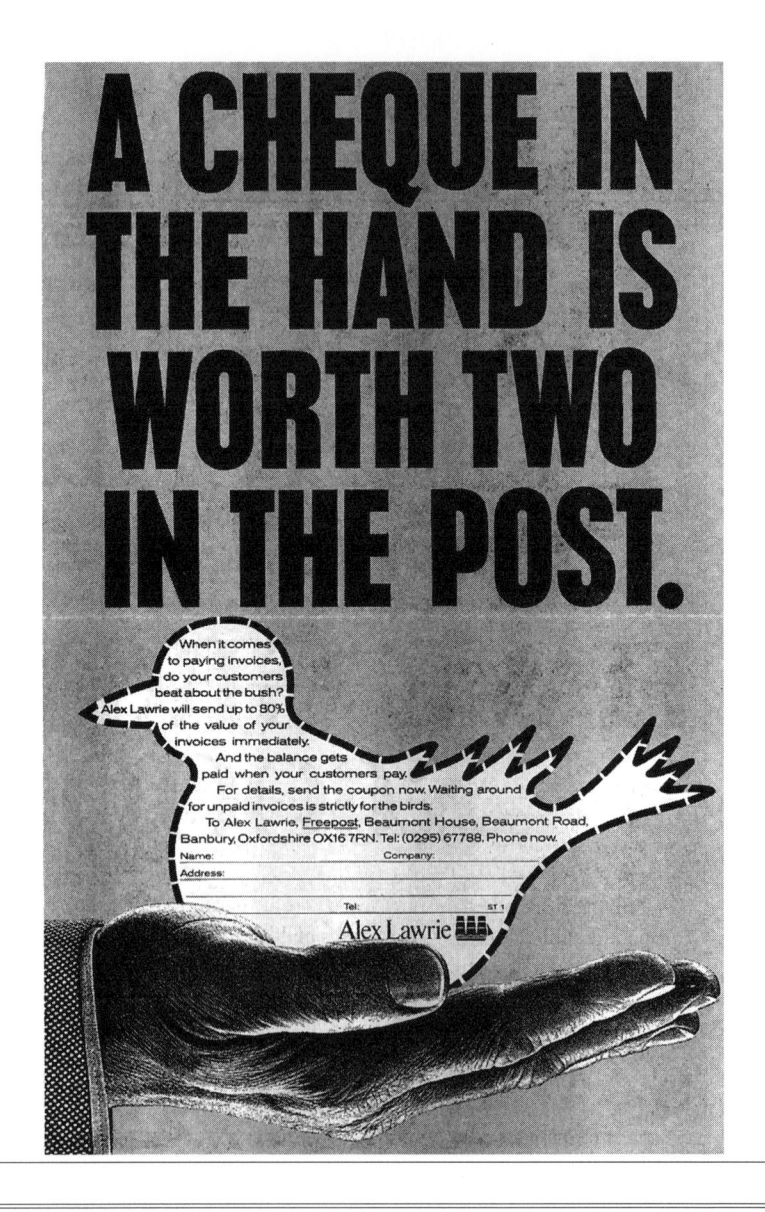

ヘッドラインは，諺の A bird in the hand is worth two in the bush.（手中の1羽は藪の中の2羽の価値がある）をもじったものである．
　「手中の1羽」とは現実の確かな利益を意味し，「藪の中の2羽」とは不確かな当てにならないものを意味する．日本語では「明日の百より今日の十」という．

　　　A cheque in the hand is worth two in the post.
　　　手中にある1枚の小切手は郵便局にある2枚より価値がある

two in the post（郵便局にある2枚）には別の意味もある．現在郵送中という意味である．この「郵送中」という言葉は借金の言いわけに使われることがある．「先日郵便で送ったのですが，まだ着きませんか？」といった具合に言うのである．それで今では，in the post は遅れた支払いの口実を意味するようになった．
　カード破産が日本でも大きな社会問題になっている．月賦販売で支払いが遅れたとき，もしそれが販売店の直接の損失となると大変なことになる．そこでクレジット保証会社アレックス・ローリー（Alex Lawrie）が契約を勧誘する．

　　　お客さまへの請求金額の80％までは今すぐ融資いたしましょう．
　　　あとの20％はお客さまが支払ったときにお渡しいたします．

　いつ払ってくれるかもしれない請求金額の全額（two in the post）をじっと待つよりも，今確実に80パーセント（a check in the hand）を手にしてはいかがでしょう，というわけである．イラストもヘッドラインと見事にマッチしている．
　本文ではほかにも，諺の中の「藪の中」にあたる表現が使われている．beat about the bush（本題を避ける，あいまいな態度を取る）は，客の支払いを待っていることで，それは strictly for the birds（全く馬鹿げている）というのである．

ことわざ―6

Everything comes to him...
待てば海路の…

You know you'll bring in the big catch. You've read all the signs. Chosen the right spot. You just sit back and take it easy. That's what it's like investing with the Halifax.

Of course there may be faster ways to make money, but if you're looking for a sure investment then choose the Halifax 90 Day Xtra account. You can start with as little as £500, earning 8.75% net immediately.

Everything comes to him who waits.

Sit tight and keep your full half-yearly interest invested, and you will land 8.94% (compounded annual rate).

Those with £25,000 or more to invest will reel in 9.00% net. And again if you're patient and leave your interest invested, the compounded annual rate leaps to an impressive 9.20%.

What's more we will pay your interest monthly into your Halifax Cardcash, Instant Xtra or Paid-Up Share account, or your bank.

To make withdrawals, just give us 90 days' notice in writing. Or you can have instant access, losing only 90 days' interest on the amount that is withdrawn.

Withdrawals which leave a balance of at least £5,000 can be made immediately without losing interest.

So get into 90 Day Xtra and land the kind of return that's worth waiting for.

90 DAY XTRA
ADDS MUCH MORE TO LIFE

To: Halifax Building Society (Ref. JKW), Freepost, Trinity Road, Halifax HX1 2BR. (No stamp required.)
I/We enclose a cheque, no: _____ for
£_____ (minimum investment £500)
to be invested in a Halifax 90 Day Xtra account.
I/We would like the interest to be:
☐ added to balance ☐ paid half-yearly ☐ paid monthly
FULL NAME(S)_____
ADDRESS_____
_____ POSTCODE_____
SIGNATURE(S)_____
DATE_____ TS3/9X

HALIFAX
THE WORLD'S No 1

ヘッドライン Everything comes to him who waits. というのは，文字通りには「待つ人はすべてのものを手に入れる」ということだが，「待てば海路の日和あり」，「果報は寝て待て」，「急がば回れ」，「短気は損気」など，日本語にもこの種の諺は多い．

　魚釣りは餌に魚が食いつくまで，じっと待つだけ．待つことで魚が釣れた喜びも大きくなる．しかし，魚釣りに夢中になるのは短気な人が多いという．待つ間の苛立ちは気の長い人よりもずっと激しい．そのぶん釣れたときの喜びも大きい．天候，水深，水温などさまざまの情報を検討し，一番いい釣り場を選び，後はゆっくりと気楽に待つだけ…, のように外からは見えるが．

　この広告の釣り人はまさに待つ人である．大きい獲物を釣ろうと思ったら，この釣り人のようにゆっくりと魚が食いつくのを待つだけ．

　投資もまさにこれと同じです，と投資信託会社ハリファックス（Halifax）は言う．

　　　安全確実な投資をお望みなら我が社の90日特別信託をご利用ください．
　　　500ポンドから始められます．
　　　利率は8.75％．
　　　半年では8.94％になります．
　　　2,500ポンド以上では利率は9.00％になります．
　　　いずれにしても，途中で解約しないで，ゆっくりと気楽にお待ちください．

　これをヘッドラインで表わしている．

ことわざ—7

look before
念には念を

LOOK BEFORE YOU LEAP.

Even if not buying new, purchasing a pre-owned luxury car is still a major investment.

So you are right to be exceptionally particular about the vehicle you choose. And the people you select to buy from.

Every car in the Jaguar Approved Used Cars Programme is a classic in its own right and worthy of your consideration. Because, although not all models displayed are Jaguars or Daimlers, each one has had its electrics, mechanics, bodywork and trim brought up to Jaguar's uncompromising standards of excellence. And every car in the Programme will be under 3 years old from date of first registration, with less than 40,000 recorded miles. Together with a comprehensive 12 month parts and labour cover, and RAC membership. All included in a price that makes some far less prestigious new cars appear a little less than good value.

To see what we mean, arrange a viewing with one of our Official Dealers. Today.

JAGUAR Daimler
APPROVED USED CARS

①

Look before you book!

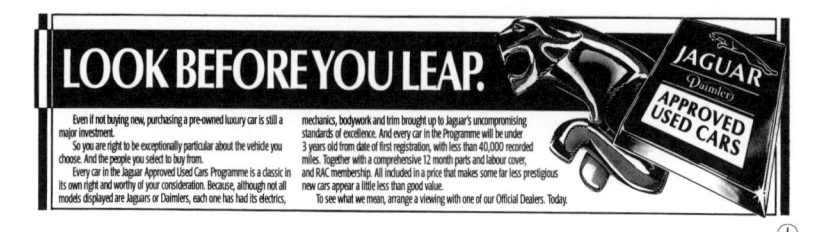

	Townsend Thoresen Dover-Calais	P&O Ferries Dover-Boulogne	Sealink Dover-Calais	Seaspeed Dover-Boulogne/Calais
Blue Riband Service	✓			
All new ships	✓			
Waiter service restaurant on all sailings	✓			
Scheduled crossing time	75 mins	100 mins	90 mins	35 mins

Unbeatable Blue Riband Fleet
Our big Blue Riband ships - Spirit, Herald and Pride of Free Enterprise, are the newest and fastest fleet on the Channel.

Unbeatable comfort
Blue Riband is nothing but the best. Luxurious lounges, cheerful bars, duty-free shops, gift shops, Exchange Bureau and, always on hand, friendly English speaking staff. And a choice of 3 stylish places to eat so you can enjoy a good, reasonably priced meal aboard and save valuable driving time on the other side.

Unbeatable for space
Driving on and off is quick and couldn't be easier. There's plenty of space on our extra wide car decks for cars, mini-buses and caravans, large or small. Bring your boat if you like. Plenty of space for people too.
To stretch out.
To relax.

Unbeatable service
You can go whenever you like - with up to 30 crossings a day and a departure from Dover every 90 minutes in peak periods. Plus a check-in time of only half-an-hour.

Unbeatable new fares
We've just Introduced more big savings on the extra special Blue Riband route.
● **Extra low cost sailings at peak weekends.** We've revised our sailing schedule so there are many more bargain sailings during the very popular months of July and August.
● **Extra caravan price cuts.** There are great new reductions of up to £14 for caravans and trailers throughout the summer holiday months.
● **Extra savings for cars.** New vehicle fares on thousands of sailings means a reduction of £3 for all cars and brings costs down even lower.

Unbeatable new brochure
It's available now - with full details of our Blue Riband route and all the other Townsend Thoresen services including Continental Motoring Packages and Coach Tours.

The fleet you can't beat

Book now - you can't afford not to! See your Travel Agent, Motoring Organisation, Camping or Caravan Club or contact our Central Reservations Office (open 0730 to 1930 seven days a week) on 0304 203388.

To: Townsend Thoresen, Brochure Dept., PO Box 12, Dover, Kent CT16 1LD.
Please send me a copy of: New Car Ferry Holiday Guide ☐
Continental Motoring Packages Brochure ☐
Continental Coach Tour Guide ☐
(Tick box as applicable)

NAME_____
ADDRESS_____
POST CODE_____

TOWNSEND THORESEN
The European Ferries
Great ways for people going places

②

① Look before you leap.
　　跳ぶ前によく見よ
② Look before you book!
　　予約の前によく見てください！

　広告①の「跳ぶ前によく見よ」というのは日本語の「念には念を入れよ」ということである．諺がそのまま使われている．ジャガー社（JAGUAR）公認の中古車ディーラーの広告．

　本文では中古車を「前に誰かが使っていた豪華な車」（pre-owned luxury car）とうまく表現している．買う（leap）前に，当店に来てよく研究してください（look）という意味のヘッドラインである．

　　ジャガー社公認のディーラーには技術と信用があります．
　　当店における車は十分に整備し選ばれたものばかりです．展示されている車はジャガーやダイムラーばかりではありません．
　　他社の車であっても，当社の技術力で十分整備されております．

　車の購入を簡単に決めてしまうことをいましめながら，自社の信用と技術力を誇りをもって宣伝している．

　同じ諺をもじったのが②のヘッドラインである．タウンゼンド・トレセン（Townsend Thoresen）はイギリスのドーヴァー（Dover）とフランスのカレー（Calais）を結ぶフェリー会社である．手法は自社に有利な項目を同業他社と比較する典型的な比較広告である．所要時間，快適さ，料金，駐車スペースなど他社には決して負けませんと'unbeatable'という言葉を繰り返し用いている．

　book には名詞で「本」という意味があるが，動詞では「予約する」という意味で使われる．

　また，look と book という［-u-］音の一致も工夫されたものである．The fleet you can't beat.（あなたが打ち負かすことのできない船）の fleet と beat ［i:］も音を合わせている．修辞学では押韻（rhyme）と呼ばれるものである．

ことわざ—8

too many Cooks
船頭多くして

TOO MANY COOKS COULD NEVER SPOIL AUSTRALIA

Free enterprise and the pioneering spirit are the mainstays of business today in Australia and the Pacific Basin. The climate for new ideas, new products and new ventures couldn't be sunnier for British entrepreneurs.

You might think a snag to seizing opportunities down under is that you're stuck here. This isn't so. The State Bank of New South Wales delivers all the corporate flair and in-depth service you'd expect on shore in Australia, right here in Fenchurch Street London.

There's more. State Bank NSW is guaranteed by the government of Australia's most successful state; New South Wales. That means we know all the ins and outs of corporate finance, can advise on set-ups, acquisitions, local grants and make valuable introductions. In short, you can bank on us to boost your business in the Pacific.

The best Captain Cook ever had was a blank chart. Contact us and we'll arm you with our Portfolio of Services that guarantees to put you on the map.

State Bank NSW

Our commitment is guaranteed, but even better, so is our Bank.

London:
State Bank of New South Wales
110-112 Fenchurch Street, London EC3M 5DR.
Tel: (01) 481 8000. Telex: 8952331. Fax: (01) 265 0740.

New York:
State Bank of New South Wales,
529 Fifth Avenue (at 44th Street), New York NY 10017.
Tel: (212) 682 1300. Telex: 429964. Fax: (212) 309 0126.

Sydney:
State Bank of New South Wales, State Bank Centre,
52 Martin Place, Sydney, NSW 2000. Australia.
Tel: (02) 226 8000. Telex: AA74238. Fax: (02) 226 8448.

ヘッドラインは，Too many cooks spoil the broth．（料理人が多すぎるとスープがだめになる）という諺をもじったものである．
　　　Too many Cooks could never spoil australia
　　　コックさんがいくらいてもオーストラリアの味は決して悪くなりません
Cookは2つの意味で使われている．1つは「料理人」の意味．もう1つはイラストにもあるように「キャプテン・クック」の意味である．「料理人」と「キャプテン・クック」は，スペリング，発音とも同じである．
　キャプテン・クックの本名はJames Cook．イギリスの探検家で1768年から1779年までの間に3回にわたって南太平洋，南極海を探検調査した．特にオーストラリアの東海岸，ニュージーランドを探査してイギリスの太平洋方面への進出の基礎を作ったが，ハワイ諸島で原住民に殺された．
　　　オーストラリア，太平洋地域での現在のビジネスの根幹は自由企業とパイオニア精神です．イギリスの企業にとって新しい発想，新しい製品，新しいビジネスへの環境は最高に整っています．
　　　ニュー・サウス・ウェールズ州立銀行は貴社がロンドンのフェンチャーチ・ストリートで営業しているときと全く変わらないサービスを提供いたします．
　　　当行は州が信用を保証する銀行です．このことは，会社の設立，買収，土地の払い下げ等，あらゆるご相談に応じられることを意味しているのです．
　　　クック船長の持っていた最もすばらしいもの，それは何も書いてない地図でした．ご一報ください．何も書いてない地図に貴社を書き入れるお手伝いをいたします．
　オーストラリア，ニュー・サウス・ウェールズ州立銀行（State Bank NSW）がイギリス企業に呼びかける広告である．

ことわざ—9

Penny wise. Pound foolish.
安物買いの銭失い

　ヘッドラインは文字通りには「ペニーに賢く，ポンドに愚か」ということで，日本語の「安物買いの銭失い」にあたる．

　ペニー，ポンドはともにイギリスの貨幣単位．現在1ポンドは200円前後である．

　1971年までイギリスの貨幣制度はきわめて分かりにくいものであった．ペニー（penny），その複数形のペンス（pence），シリング（shilling），それにポンド（pound）があった．1ポンドは20シリング，1シリングが12ペンスであった．

　1971年2月に貨幣制度が変わり，1ポンドが100ペンスとなり，シリングという単位はなくなった．ペニーの複数形ペンスは，貨幣単位

が変わってからはただ単にp(ピー)と言うことも多い．例えば，4pを「フォー・ペンス」または「フォー・ピー」と言う．

　筆者が初めてイギリスを訪れたのは1970年9月であった．ちょうど新貨幣制度への移行時期とあって，どの店にも新旧の換算表が用意されていた．

　旧制度の下では貨幣の呼び方も複雑であった．2分の1ペニー貨はヘイプニー (halfpenny)，3ペンス貨はスレペンス (three pence)，5シリング貨はクラウン (crown)，2.5シリングはハーフクラウン (half crown) と言った．

　これだけでも相当ややこしいのに，新旧の貨幣が同時に使われていたものだから，買物をする度に頭の中がごちゃごちゃになった．面倒なので買物はすべて紙幣を使った．外出すると一日の終わりにはポケットの中がコインでいっぱいになったものである．そのうえ当時の1ペニー貨は現在の日本の500円玉のように大きくて重く，ズボンがずり落ちそうで夕方には歩きにくくなるほどであった．

　ともあれ，現在の十進法になって，コンピュータに都合がよくなったのはもちろんだが，一番便利さを感じるのは外国人の買物客であろう．ちなみに，アメリカの1セント貨のニックネームもペニーというが，複数形はペニーズである．

　さて，広告に戻ろう．ヘッドラインは「小金に賢く，大金に愚か」ということである．

　　　　新築の家には，まず3文字の言葉が必要です．
　　　　　　GAS（ガス）
　燃料にはこれが一番です．
　ガス以外の燃料を使う設計の家は，一見安そうでも，実際に住んでみればコストがずっと高くつくことが分かります．
　給湯設備，調理，熱効率ということになると，ガスに勝るものはありません．
　ガス管敷設地域に住む一戸建て住宅の所有者の90パーセントが

セントラル・ヒーティングにガスを希望しています．
　　この事実によっても，賢いお金の使い方がお分かりでしょう．
　　断熱方法，建築技術，パイプ敷設，ボイラーのサイズや位置とすべてにわたってガス燃料使用のための新しいアイディアが工夫され，建築および維持コストのダウンをはかっております．

　「ガスを選んでお金を上手に使いましょう」という，イギリスのガス協会（British Gas）の広告である．

　諺には修辞学的に興味のあるものが多い．この諺の場合は，それぞれの最初の言葉の最初の音が両方とも p で頭韻法（alliteration），2つめの言葉 wise と foolish が反意語で対照法（contrast）である．

故事・格言—1

the last straw
最後の1本

Harvest time is often the last straw.

In the poor parts of the world, there is often no harvest.

For there may have been no seed, or no fertilizer, or no water, or no ploughs.

So there will be no rejoicing.

At this traditional time of celebrating the gifts of our own more plentiful harvest, please send a gift to those who cannot reap.

On their own, such gifts are no solution to poverty. But put in the hands of people who have been frustrated in their efforts to overcome difficult odds, they are aids to self-support and self-respect.

They make the hard work of the poor more productive. They help the whole community. They make the difference between hope and hopelessness.

Whatever you give will fall on fertile ground in the poorest parts of Asia, Africa and Latin America.

To: Christian Aid, P. O. Box 1, London SW9 8BH.
*I enclose cheque/P. O. for £_____/Please debit my Access/Barclaycard account No._____
for £_____ Signature_____
We can reclaim tax on covenanted gifts.
Tick box for details. ☐
Name_____
Address_____

*Delete as applicable.
T 11/9/82

If you require a receipt, please tick box. ☐

Christian Aid Harvest Appeal

インパクトの強い写真である．
　　　Harvest time is often the last straw.
　　　収穫の時がしばしば最後の1本
このヘッドラインにあるストロー（straw）というのは麦の茎のことである．
　麦の茎は中が空洞になっている．収穫の頃になると茎はかたくなる．プラスチックが発明されるまでは，ジュースを飲むのにこの麦の茎を使っていた．プラスチックでできていても，ストロー（麦の茎）というのはこのためである．
　アフリカだけでなく，アジア，南アメリカでも穀物の不作が続いている．雨が降らず，干ばつが原因の所もある．肥料や農薬がなく，不作が続いて種にする米や麦まで食料にしてしまった所もある．
　ブラジルでは，耕地を広げるためにアマゾンのジャングルの開墾をすすめた．開墾した土地はその開墾した人の所有とし，何年間かは税金を免除する政策を発表した．しかし，日々の食料を確保することさえ難しい人々には何のメリットもなかった．金持ちは大勢の人を雇ってアマゾンを開墾した．金持ちはますます財産を増やした．
　一方，雇われて開墾に従事した人々は，開墾が終わると，またもとのように毎日の生活に困るようになった．自分の土地を持つ農家も不作が続いた．最後まで枯れずにいた1本の麦わら（the last straw）だけが収穫物ではどうしようもない．
　the last straw には，もう1つ別の意味がある．
　ある所に欲張りの商人がいた．欲張りの商人などはどこにでもいるが，この商人は特別に欲張りであった．この商人は1頭のラクダを使って商売をしていた．一度にできるだけ多くの品物を運びたいと，いつもラクダの背中に山のように荷物を積んだ．
　あるとき，今日は今まで以上に多くの荷物を運んで行こうと，ラクダの背中に次々と荷物を乗せていった．ラクダは苦しそうにあえいでいたが，あと少し，これくらいはいいだろうと1本の麦わらを乗せ

た．そのとたんにラクダは倒れて死んでしまった．

　この故事から，次々と身にふりかかる苦難を我慢に我慢を重ね一生懸命に耐えてきたけれども，とうとう耐えられなくなってしまった最後のその小さな出来事を「最後の麦わら」(the last straw) というようになった．

　　　我慢に我慢を重ねてきたが，収穫のときにたったの１本しか麦が残っていない．
　　　もともと喜びであるはずの収穫の時が絶望の時になる．
　　　世界中で今この絶望の淵に立とうとしている人たちがいる．
　　　この人たちにもう一度，自信と自活のチャンスを与えたい．
　　　貧しい人々にその日その日の糧を恵むのではなく，もう一度田畑を耕し，来年の収穫を目ざす希望を与えたい．
　　　手に職をつけ労働する機会を与えたい．

　収穫を神に感謝する日，Thanksgiving Day の新聞に掲載された，クリスチャン・エイド（Christian Aid）というキリスト教団体の募金を訴えるアピール広告である．

故事・格言—2

"I think, therefore I B M."
我思う，故に我 IBM

"I think, therefore IBM."

IBM

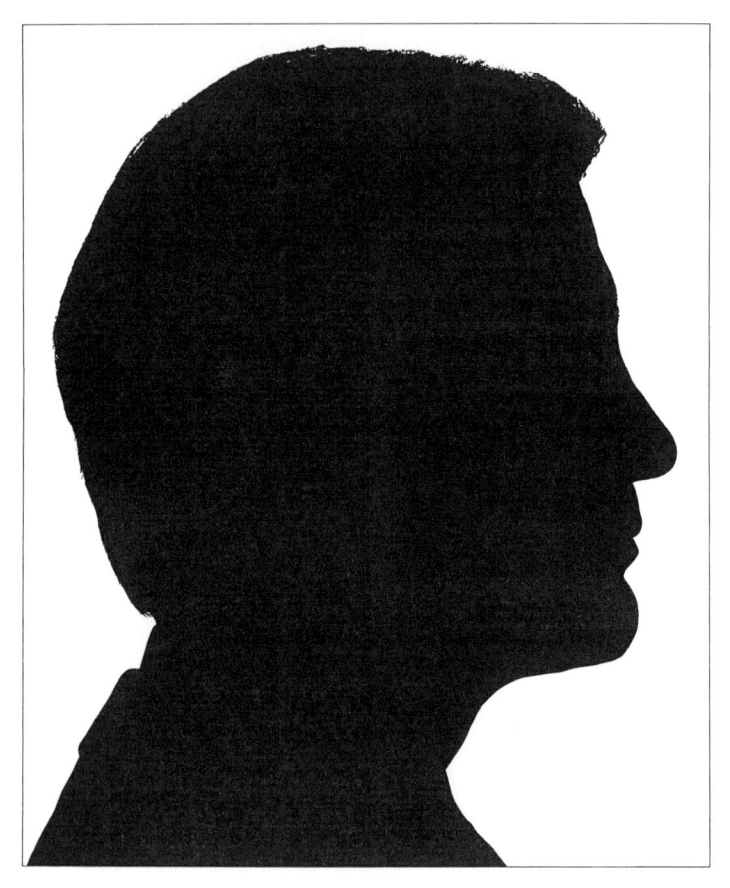

コンピュータの IBM の広告．
たった1行のみの広告である．
この文章は，フランスの哲学者・数学者で近世哲学の祖といわれるデカルト（Rene Descartes, 1596-1650）がその著書『哲学の基礎』（*Principes de la Philosophie*）の中で書いた言葉，Je pense donc je suis. Cogito ergo sum（＝I think, therefore I am.）「我思う，故に我あり」をもじったものである．

特に，最後の I B M は therefore I am の A が B に変わっただけで，視覚的にきわめて紛らわしく，その結果たいへん効果のある言葉遊びになっている．「やったな」と思わずニヤリとするような見事なアイディアである．

IBM がコンピュータ会社であることを考えれば，哲学的言葉で人間性を感じさせるユーモアを加味したヘッドラインは，コンピュータの持つ非人間的イメージを変えるのに十分効果がある．

20有余年前，筆者はアメリカ国務省，文部局の招聘教官として渡米した．バーモント州での2か月の研修期間を終え，メリーランド州バルティモア市の教育委員会に派遣された．

当時，バルティモア市では給料はすべて小切手で支払われていた．もらった小切手を銀行に持っていって現金化してもらうのだが，銀行口座のない人は現金化してもらえない．

日本では高校教師として1か月3万円の給料しかもらっていなかった筆者にとって，2週間に1度渡される150ドルは大金であった．1ドル360円の固定レートの時代である．当時，5万円というのはかなり値打ちがあった．

ところがあるとき，給料小切手を見てびっくり仰天．何とそこに書かれた数字は税金を引かれて手取りが2ドル24セント．気がついたのは，アパートの自分の部屋に帰ってからである．

次の日，早速，教育委員会にかけあいにいった．

コンピュータを導入して以来，彼らはコンピュータのすばらしさに

感心するあまり，コンピュータは万能である，間違いなどあるはずがないと，かたく信じていた．なかなか取りあってもらえなかったが，最終的にはコンピュータにインプットする人の間違いであったことが判明した．

それ以来私は，コンピュータを人間の一部と考えてきた．たとえコンピュータがいかに優れていても，人の一部である以上，完全であるはずがない．考えるコンピュータが作られはじめた今日，コンピュータは誤りを犯すものであるという考え方はますます必要である．

「我思う，故に我あり」は，人間が放棄してはならない最後の一線である．コンピュータは人間が使うものであって，人間を使うものではない．ニヤッと笑った後で考えさせられた広告コピーであった．

United we stand.
三矢の教え

UNITED WE STAND.
DIVIDED WE FALL.

Some call it CIM ('Computer Integrated Manufacture'). Others call it EDA ('Electronic Design Automation').

At Racal-Redac we believe, quite simply, that it is "the direction which must be taken by any manufacturing company that wants a future."

The subject in question is the introduction of a single, common computer database to unite all aspects of a company's operations ... from concept and administration to detailed design, tooling, testing and production coordinated through a totally integrated computing environment.

An environment where CAE and CAD systems are networked and integrated with systems supporting manufacture, inventory control, procurement and management.

An environment where product design and manufacture are cost-effective and streamlined – and products reach the market in the shortest possible time.

For more information on how Racal-Redac and EDA can help your company's future, telephone Harriet Shock now on Reading (0734) 669955.

RACAL-REDAC
Leading the way to EDA

Racal-Redac U.K. Ltd., 62/63 Suttons Park Avenue, Reading, Berks., RG6 1AZ.

RACAL

『イソップ物語』の中に，「束にした木の話」がある．
　ある農夫に何人かの息子がいた．男の兄弟というのは子供の頃はよく喧嘩をするものだが，この兄弟も毎日毎日喧嘩をする．農夫がいくら注意をしても，おさまるのはその場だけ．少し時間が経つとまた喧嘩が始まる．
　そこで農夫は言葉だけでは効果がないと，ほかの方法で息子たちに仲良くすることを教えることにした．
　彼は息子たちに薪の束を持ってこさせた．その薪を束ねたまま息子たちに渡し，それを折ってみよと命じた．一人ひとり順番にやってみたが折ることができない．次に，1本ずつ薪を渡し，折ってみよと命じた．今度はやすやすと折ることができた．
　そこで農夫は子供たちに言った．
　「いいかね息子たち，この薪と同じで，お前たちが心を1つにして団結していれば，どんな敵がきても決して負けることはない．しかし，それぞれが自分のことばかり主張して喧嘩をしていては，どんな敵にも勝つことはできない」
　高校野球の監督や選手が言う「チームワーク」がこれである．「お互いが補い合って勝利のために努力をする」ということであろう．ラグビー選手の言う One for all. All for one.（1人はみんなのために，みんなは1人のために）も同じ意味である．
　日本にも同じような話がある．戦国の武将，毛利元就は3人の息子，隆元，元春，隆景に3本の矢を用いて団結の大切さを教えている．矢は1本ならたやすく折ることができる．しかし，その矢を合わせて3本にすると容易には折ることができない．「三矢の教え」として有名である．
　日本にプロサッカーのJリーグが誕生した．その中の1つ広島のチームの名前はサン・フレッチェ．この名前のサンは日本語の3，フレッチェはイタリア語で「矢」という意味の言葉であるという．安芸の国（現在の広島）出身で中国地方を治めていた毛利元就の「三矢の

教え」からつけた名前である．

　私事で恐縮だが，筆者には3人の子供がいる．3番目に生まれた娘の名前を「三矢子（さやこ）」とつけた．きょうだい仲良く，大きくなって社会に出ても，みんなが仲良くできるよう努力する人になってほしいという願いを込めた．

　さて広告のヘッドラインだが，Unitedとはオフィスの情報が1つになること，Dividedとはその情報がまとまらずバラバラになっていることである．

　　　United we stand.
　　　Divided we fall.
　　　団結すれば立ち
　　　離れれば倒れる

　コンピュータの発達によって情報の処理が効率的になった．オフィス・オートメーションは今や常識である．それぞれの部門の情報を集約し，ほかの部門の情報でもその場でただちに手に入れることができる．オフィス・オートメーションの設計を専門とする会社レイコール・レダック社（Racal-Redac）の宣伝である．

ニックネーム—1

The Bug
かぶと虫

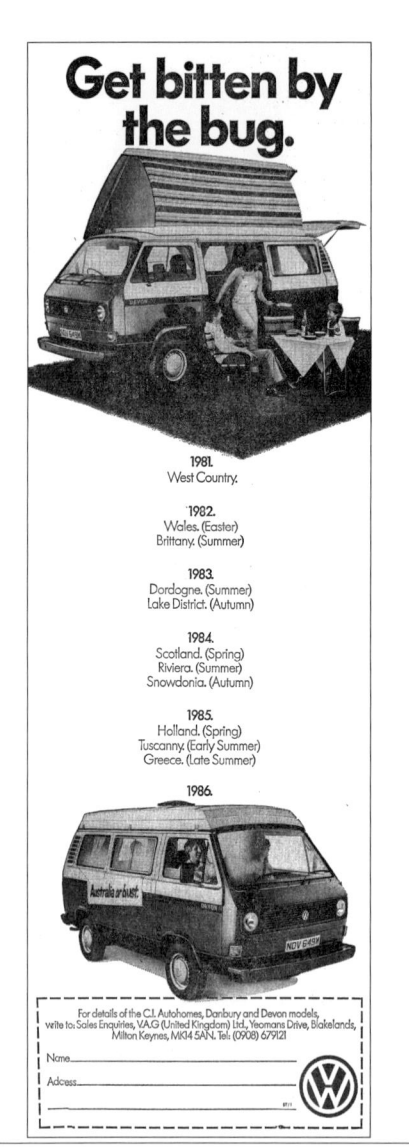

Get bitten by the bug.
虫に嚙まれよ

　これだけでは何を意味するヘッドラインなのか理解できない．最後のシグネチャーライン（スポンサー名を書いてあるところ）にあるトレードマークや車の写真で，この広告がフォルクスワーゲン社のものであることが分かる．

　get（or be）bitten には嚙まれるという意味のほかに，「夢中になる，惚れ込む，かぶれる」という意味がある．bug（虫）は一般に昆虫を意味する場合が多いが，かぶと虫（beetle）もまた bug と呼ばれる．

　車でかぶと虫といえば，フォルクスワーゲンである．したがって，このヘッドラインの本当の意味は「フォルクスワーゲンに惚れてください」ということになる．

ニックネーム—2

Cat
猫

Cats with eight lives left.

1986	Jaguar XJS V12	Black/Magnolia	4000 miles		£P.O.A
1986	Jaguar Sovereign V12	Steel Blue/Saville	2000 miles	Electric Sun Roof	£P.O.A.
1986	Jaguar XJS 3.6	Sebring Red/Saville	2000 miles	Headlamp Wash/Wipe	£P.O.A.
1986	Jaguar Sovereign 4.2	Claret/Doeskin	5000 miles		£18750
1986	Jaguar XJ6 4.2	Cobalt/Doeskin	6000 miles		£17250
1985 (C)	Jaguar XJS 3.6	Curlew/Barley	4500 miles	Headlamp Wash/Wipe	£18950
1985 (B)	Jaguar XJ6 4.2	Sage Green/Biscuit	14000 miles		£14750
1984 (B)	Jaguar Sovereign HE	Sage Green/Doeskin	15000 miles	One Owner FSH	£16750

FOLLETT JAGUAR 91–95 FULHAM ROAD, SOUTH KENSINGTON. 01-589 4589

　これも車のニックネームを利用した広告である．イギリスの高級乗用車ジャガー(Jaguar)が自らを cat と呼んでいる．
　　Cats with eight lives left.
　　残り8つの命を持った猫たち
　これは猫についての諺，A cat has nine lives.（猫に9生あり）をパロディ化したものである．9つの命を持つ猫(Jaguar)だから，1つ使ってもあと8つの命を残している．つまり，誰かが1回使用してもまだまだ使えますというのである．
　ジャガー車専門の中古車販売会社フォレット・ジャガー（Follett Jaguar）の心にくいキャッチフレーズである．

ニックネーム—3

Apple, Orange
リンゴ，オレンジ

> **Big Apple £129.**
> **Orange State £149.**
> **(Are we bananas?)**
>
> You couldn't pick a better time to fly to the States. Because we have a Blue Riband Same Day Saver to New York, and a Same Day Saver to Miami, including hot meals, free baggage allowance, free drinks and electrostatic headsets. So ring **0293 38222** or see your travel agent, and find out more about Virgin Atlantic. You'd be crazy not to.
>
> *Virgin atlantic*　　　　　Offer closes July 31st.
>
> We cut fares, not corners.

　これはイギリスの航空会社ヴァージン・アトランティック（Virgin Atlantic）の広告である．3種類の果物が使われている．
　Big Apple はニューヨークのニックネーム，Orange State は州花がオレンジであることからフロリダ州のニックネームである．この州は愛称の多い州で，Sunshine State（陽光の州），Alligator State（ワニの州），Everglades State（低湿地州），Peninsular State（半島州），Sand State（砂の州）などとも呼ばれる．フロリダに憧れるアメリ

人の気持ちのあらわれであろう．

　次のbananasにも多くの意味がある．1960年代ケネディ大統領の頃から，キング牧師を中心に黒人の人権運動が全米に広がった．その頃バナナと言えば主に日本人をはじめ東洋人を意味していた．それは，表面は黄色（黄色人種）だが中身は白（心は白人）ということである．人権運動の何たるかを深く考えようとせず，白人と一緒になって，黒人は臭い，汚い，頭が悪いと差別者の側に立った．バナナはまたその形からペニスを意味することもある．bananasと複数形になると，「正気でない，〜に夢中になっている（crazy）」という意味になる．

　ヘッドラインの意味は，
　　　　Big Apple £129.
　　　　Orange State £149.
　　　（Are we bananas?）
　　　ニューヨーク市まで129ポンド
　　　フロリダ州まで149ポンド
　　　こんな値段で商売をする当社は正気ではないのでしょうか？
ということである．

ニックネーム―4

Apple
アップル

アメリカのコンピュータ会社アップル（Apple）のもので，日米貿易摩擦が大きな社会問題になっていたころの広告である。コンピュータ業界の競争は熾烈を極めていた。

There's something special about Apples picked before July 31st
7月31日までにもがれたリンゴには何か特別なものがあります

摘む（pick）という言葉は「買い上げる」ということである。名前がアップルだから，pick という動詞が「買う」という意味と「木からりんごを取る」という2つの意味を持つことになる。

「7月31日までにアップル社のパソコンをお買い上げいただいた方には，特別サービスがあります。だから，お早めにどうぞ」ということである。

なお，アップル社のパソコン販売店は「リンゴ商人」（apple dealer）と呼ばれる。

Part-4
遊び・さまざまな表現法・色・その他

遊び―1

How to play ladders
すごろく

How to play ladders without snakes.

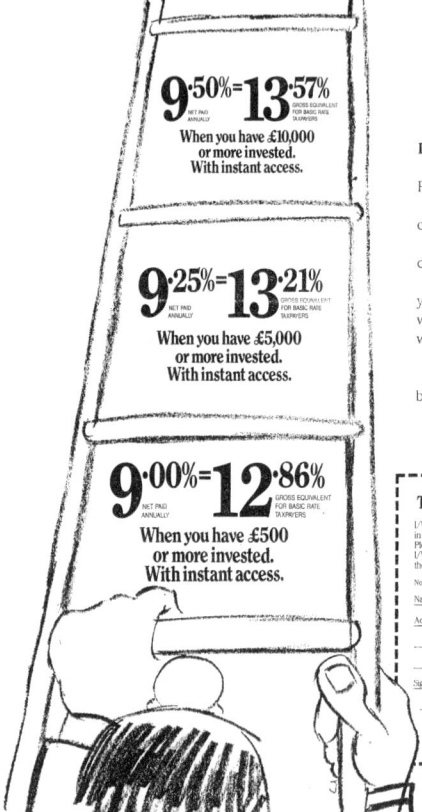

9·50% = 13·57%
NET PAID ANNUALLY — GROSS EQUIVALENT FOR BASIC RATE TAXPAYERS
When you have £10,000 or more invested. With instant access.

9·25% = 13·21%
NET PAID ANNUALLY — GROSS EQUIVALENT FOR BASIC RATE TAXPAYERS
When you have £5,000 or more invested. With instant access.

9·00% = 12·86%
NET PAID ANNUALLY — GROSS EQUIVALENT FOR BASIC RATE TAXPAYERS
When you have £500 or more invested. With instant access.

Invest in a Woolwich Prime Account.

As you can see there are now three Prime Rates.

The more you save the higher you climb up the ladder.

Quite simply, the amount you earn is decided by the amount you have in.

And the beauty of it is that, although you're earning such high rates, you can withdraw your money at a moments notice without losing a penny in interest.

In other words, there are no snakes!

For more details, call in at one of our branches, or fill in the coupon and send it to: Woolwich Equitable Building Society, Investment Department, FREEPOST, Bexleyheath, Kent DA7 8BP.

THE WOOLWICH PRIME ACCOUNT

I/We enclose a cheque for £ _____ to be invested in a Woolwich Prime Account. *Min £500.
Please send me information on the Woolwich Prime Account. ☐
I/We understand the rates may vary. Interest should be added to the account yearly unless otherwise stated.

No stamp required. Tick box if required. Woolwich Investor Yes ☐ No ☐

Name(s)
Address
Postcode
Signature(s)

5,TS/16

WOOLWICH
EQUITABLE BUILDING SOCIETY

昔，双六(すごろく)という遊びがあった．振りだし(スタート)から上がり(ゴール)まで紙面に多くの区画が書いてある．さいころを振って出た目の数だけゴールに向かって進んで行く．途中の区画にはいろいろな指示の言葉が書いてある．「1回休み」とか「3つ戻る」とか，上がりの近くには「振りだしに戻る」などというのもあって，すんなりとは上がれない．

　この双六によく似た西洋の子供の遊びが，snakes and ladders（蛇とはしご）である．10×10の枡目の盤に5～6個の大小の蛇の絵が横長に描いてある．同じく5～6個の大小のはしごが縦長に描いてある．左下の隅からスタートして，さいころの目の数だけ枡目を進んで行く．蛇の頭の絵で止まったらその蛇のしっぽまで戻らなければならない．はしごの下で止まったらその梯子を登って進むことができる．ゴールに早く着くことを競う．はしごで止まれば大いに得をし，蛇の頭で止まれば大きく損をする．

　さて広告だが，ヘッドラインで「蛇とはしご」を連想させる．

　　　How to play ladders without snakes.
　　　蛇を使わないはしごの遊び方

　はしごの段の間が枡目になっていて，

　　　500ポンド以上なら税込み12.86％，利息は手取り9.00％
　　　5,000ポンド以上なら税込み13.21％，利息は手取り9.25％
　　　10,000ポンド以上なら税込み13.7％，利息は手取り9.50％
　　　そのうえお金が必要になればその場で解約でき，しかも利息はそのまま，1ペニーの損もありません．
　　　投資金額が大きくなればなるほど利息が高くなります(はしご)，しかも解約による損失（蛇の頭）は一切ありません．
　　　これが高金利で大いに儲ける最もいい方法です．
　　　損をせずに高い利子の特典だけを受ける方法です．

と書いてある．投資会社ウーリッチ（Woolwich）の投資家への勧誘広告である．

遊び—2

Eeny ～ meeny ～ miny ～ mo
どれにしようか

　例えば，何枚かの CD を並べてどれか 1 枚あげると言われる．迷い迷って子供は 1 枚ずつ指さしながら言う．ど，れ，に，し，よ，う，か，… この続きを，徳島県南部（筆者の住む地方）では，「裏の神さんに聞いたらよく分かる」と言う．
　英語でも同じような遊びがあって次のように言う．

　　Eeeny, meeny, miny, mo.
　　Catch a squirrel by the toe (tail).
　　If he squeals, let him go.
　　Eeeny, meeny, miny, mo...
　　イーニィ，ミーニィ，マイニー，モウ．
　　リスの足（しっぽ）をつかまえろ．

キーキー鳴いたら放しましょう．

　　イーニィ，ミーニィ，マイニィ，モウ．

　アメリカでは空き巣や強盗が非常に多い．国民総背番号制を取っているので，泥棒よけに家具や電気製品に自分の番号を彫りこんでおく．家の前に看板を立てたり，窓にも大きく，「当家の家具，電気製品には，すべて個人番号が彫りこんであります」と書いておく．それでも泥棒は入ってくる．

　今や犯罪王国と呼ばれるアメリカ合衆国だけではない．紳士と淑女の国イギリスでも盗難事件は増加の一途をたどっている．

　さてこの広告のヘッドライン「どれにしようか…」は，車泥棒が，たくさん並んだ車の中からどの車を盗もうかと選んでいるのである．

　そこでこの広告．

　　皆さん，車の窓全部に個人番号を書いておきましょう．

　　当ヘルムタイト社（Hermetite）のプロエッチ（Pro-Etch）で書いておけば，絶対に消えることはありません．たとえ泥棒が盗んでも，窓を全部交換しようとすれば何百ポンドも費用がかかるのです．

　　プロエッチの番号を見れば，泥棒はあなたの車を盗むのをあきらめます．プロエッチをした車はもうけにならないのを知っているのです．どれにしようか…と迷ってもプロエッチの車には手を出しません．

　　プロエッチは，手早く，きれいで，安全，しかも簡単なのです．

遊び—3

Knock, knock
トントン

Knock knock
who's there?

Doctor.
Doctor who?
No. Dr Barnardo's.
And it's at this time of year that we count
on your generous support of our house-to-house
collection, because for over 9,000 of
our children life isn't much of a joke.
Help Barnardo's help a child.

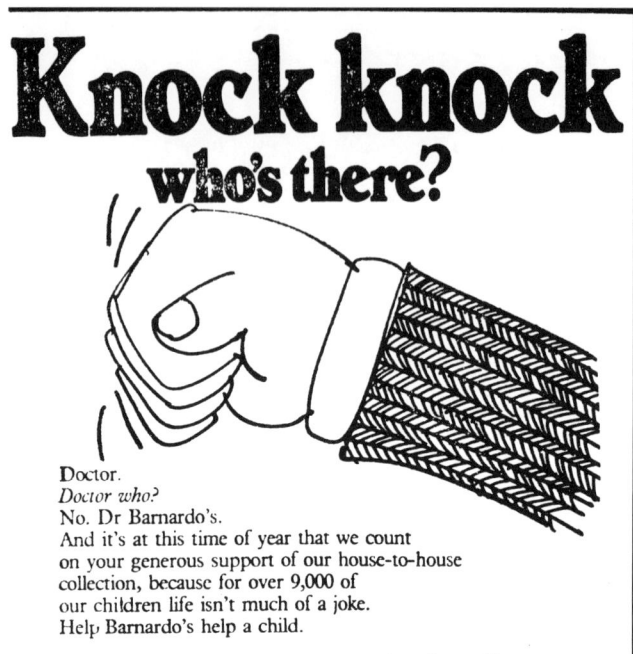

If however you don't receive an envelope but still want to
help please use the coupon below to send your donation to:

■ ■ ■ ■ ■ ■ ■ ■ ■ ■ ■

Nicholas Lowe, Appeals Director, Dr Barnardo's
Tanners Lane, Barkingside Ilford Essex IG6 1QG.
Please accept my donation of .... to help over 9,000
children.
Name _____

Address _____

You can make your donation by telephone if you have an
Access or Barclaycard. Just ring Teledata on 01-200 0200,
quoting your card number and Barnardo's Room No 292.

ⓜ Barnardo's

この広告は「ノック・ノック・ジョーク」と呼ばれる，子供に人気のある言葉遊びを利用したものである．

　「ノック・ノック・ジョーク」は，ドアの内と外に人がいて，外にいる人がドアをトントンと叩き（knock），中にいる人が「そこにいるのはだーれ？」と聞き返し，簡単な返事に対してさらに詳しく何かを問う，というのが定型である．

　たとえば，次のように問答する．

  Knock, knock.
  Who's there?
  Madam.
  Madam who?
  My damn hands stuck in the letter box.
  トントン
  どなたです？
  マダムです
  マダム誰？
  マイダムハンド（my damn hand）が郵便受けにはさまれた

Knock, Knock, Who? の遊びでは最後が駄洒落で終わる．上の例ではマダム（madam）とマイ・ダム（my damn）が駄洒落になっている．

　しかし，この広告は駄洒落で終わりにならない．

  Knock, knock.
  Who's there?
  Doctor.
  Doctor who?
  No. Dr. Barnardo's.
  トントン
  どなたです？
  ドクターです

　　　　ドクターのどなたです？
　　　　いいえ．ドクター・バーナード会です

　駄洒落で終わらずに，続く文章はバーナード会（Barnardo's）がすすめる子供たちのための募金の依頼である．
　　　　毎年この時期，家ごとにご寄付のお願いをしております．
　　　　9,000人以上の子供たちの命は冗談ごとなどではありません．
　　　　子供を救助するバーナード会を援助してください（ご寄付をよろしくお願いします）．
　　　　ご家庭に募金用の封筒が届いていなければ，下のクーポン券をお送りください．
　　　　カードをお持ちの方は電話でも結構です．

というのである．「ノック，ノック」という言葉がドアを連想させ，それが家から家へ（house-to-house）の寄付依頼につながる．
　この言葉遊びは英語圏では非常にポピュラーで，特に子供たちに人気があることから，子供のための募金にふさわしいヘッドラインといえる．
　コマーシャル（commercial）とアド（advertisement）は同じように使われる場合もあるが，この例のような商業活動に関係のない広報コピーはコマーシャルと言わず，一般的にはアドと言う．

早口ことば

seashells in the Seychelles
セイシェルの貝殻

Seashells in the Seychelles from £719

For details of this and 50 other exotic locations send off this label for your free brochure. Alternatively take a trip to your Silk Cut travel agent, or phone (0730) 65211 – anytime.

0730 65211

Name_____
Address_____ ST19/4
_____
Postcode_____

To: Silk Cut Far Away Holidays,
PO Box 46,
Hounslow, Middlesex TW4 6NF. 56167

SILK CUT FAR AWAY HOLIDAYS

Silk Cut Travel Limited, Reg. Office: Weybridge, Surrey KT13 0QU.
Registered in England under no. 1767418

フランスの詩人ジャン・コクトー（Jean Cocteau, 1889-1963）の詩に，「私の耳は貝の殻，海の響きをなつかしむ」という言葉がある。
この広告のヘッドライン，

　　Seashells in the Seychelles from £719
　　セイシェルの貝殻，719ポンドより

とは，「一生忘れることのないセイシェルへのバカンス，719ポンドからあります」という意味である。旅行会社シルク・カット（Silk Cut）の広告。

セイシェル共和国（the Republic of Seychelles）は，インド洋に浮かぶ大小さまざまの島からなる小さな国である。セイシェルこそが海の彼方にあるというパラダイスだといわれたこともあった。ガラパゴス島に生存するあの「ゾウ亀」がセイシェル群島の1つのさんご礁の島にも生存している。常夏の国セイシェルはイギリスやヨーロッパの人々のあこがれの地である。

観光を第一の産業とするこの国には，白人と黒人との混血，黄色人種（主に中国人）が多く，フランス語と英語が公用語になっている。

このヘッドラインは，seashell（シーシェル＝貝殻）と Seychelles（セイシェル）の音の類似性を使った言葉遊びであるが，言葉遊びでシーシェルとくると，次にくるのは seashore（シーショア＝浜辺）というのが早口言葉の定番である。

早口ことばは英語で「舌もつらせ」（tongue twister）というが，s と sh の音を組み合わせたシーシェルとシーショアの早口ことばとして次の文が有名である。

　　She sells seashells on the seashore.
　　あの子は海辺で貝殻を売っている

この広告のヘッドラインは，この有名な早口ことばをもじったものである。貝殻も早口ことばも幼い頃の楽しい出来事を連想させる。

こうしてセイシェルでのバカンスを宣伝し，「もっと詳しくお知りになりたい方はこの広告を切り抜いてお送りください。他にもいろい

ろ魅力的なコースをそろえたパンフレットをお送りします」というわけである.

*

早口言葉にはほかにつぎのようなものもある.読んでみてください.
(1) Peter Piper picked a peck of prickly-pears from the prickly pear trees in the pleasant prairie.
(2) A big black bug bit a big black bear.
(3) The half-ripe fruit fell from five fine trees.
(4) Thirty-three thrushes were on the thirty-third street.
(5) Around a rugged rock a ragged rascal ran.
(6) This snail's tail's stale and still it's a stale tale.
(7) A swan swam swiftly over the sea; swim, swan, swim.

絵文字—1

Have a Happy Harrods
ハロッズで楽しいお買物

　　IOU $100.という書き方がある．IOUは，I owe you.と読む．意味は「あなたにお借りしています」である．そこでIOU $100は，I owe you $100.「あなたに100ドルお借りしています」という意味になる．

　この広告では，Have a Happy Harrodsの大文字のHが絵で描かれている．記号や絵で語，句，文を表わす方法をリーバス（rebus）という．広告の中のイラストではよく見られるがヘッドラインの中ではめずらしい．

　この絵が，ロンドンのデパート，ハロッズの建物を図案化したものか，道路を意味するのか，単純にアルファベットのHをつけただけなのか，それともほかの意味があるのか筆者には分からない．

もう1つリーバス（絵文字）の例を紹介しよう．

車が引用符" "で囲まれている．

さてこの車，アルファ・ロメオは何と言っているのか．その言葉は左上のコピーのボディの部分に書いてある．「エンジンは快調，足回りは良好，ハンドリングは最高…」

カーレースで有名なアルファ・ロメオ社（Alfa Romeo）の広告である．

この例は筆者のお気に入りのコピーの1つである．写真自体がヘッドラインに近い意味を持っていると判断（独断）して紹介する．

絵文字— 2

This is the age of the train.
いまや列車の時代

"The company has decided to use cars for business travel."

"The company has decided to use cars for business travel."

"The company has decided to use cars for business travel."

Many companies hear no evil, see no evil and will speak no evil of the company car.

In fact the company car is so much taken for granted you may have long since ceased to evaluate its real effectiveness.

The company car no doubt has some advantages. But for longer trips it can be one of the slowest ways of getting from A to B.

And what exactly are your executives *doing* all the time they're in the car? They can't prepare for business meetings, they can't relax, they can't even think. And yet you pay them every moment they're in the car. Pay them in effect for doing nothing.

Now, suppose they leave the car behind and take the train. They will be safer (in 1980 not one passenger was killed in a train accident). They will almost certainly arrive quicker. They can relax in air-conditioned comfort on many trains, sit back in ergonomically designed seats, and give their full attention to any business problem that needs solving.

On Inter-City trains there is ample desk space and a virtual guarantee of freedom from interruptions. Which means an exceptionally high level of productivity. Perhaps even higher than that achieved in the office.

Which makes the true cost of train travel very low indeed.

Undeniably, the car has its place. But for longer trips, especially, there's a lot of wisdom in opting for the train.

This is the age of the train

写真は「見ざる，言わざる，聞かざる」をきめこんでいる３人のサラリーマンの図である．頭の上にあるのは「会社は出張に会社の車を使うことに決めました」という言葉である．
　アメリカの大学に，自己認識を啓発し社会性を培うvalues clarification（価値認識）というコースがある．同名のテキストの中に「ワニの川」という話がある．その話の登場人物を日本流に直して紹介する．

　　住宅街と商店街の間に１本の川が流れている．その川にはこの２つの町を結ぶ橋が１本しかかかっていない．あるとき，洪水でこのたった１本の橋が流されてしまった．この川にはたくさんの「人食いワニ」がいて泳いで渡ることはできない．
　　住宅街に太郎という若者が住んでいた．太郎は視力が弱く，眼鏡がないと盲目に近い状態になる．運悪く橋が壊れた日に，彼はその眼鏡を壊してしまった．修理するには川の向こうの商店街にある眼鏡店に行くしかない．
　　太郎には花子という恋人がいた．ふたりは間もなく結婚する予定であった．花子は太郎のためであったら何でもしてあげたいと思っていた．
　　その町でたった１人ボートを持っている男がいた．男の名は次郎．花子は次郎を訪ねて，事情を説明した．眼鏡の修理に向こう岸までボートで送って欲しいと頼んだ．次郎は「一度だけでいいからセックスの相手をしてくれ．その条件と交換にボートで送ってやる」という．そんなことを言わずに送ってくれるよう何度も頼んだが，次郎は「条件」を主張して譲らない．
　　そこで花子は，次郎の雇い主，五郎のところへ行った．次郎は五郎の言うことなら何でも従う．事情を説明し次郎のいやらしい条件も話した．しかし五郎は「俺には関係ない」と言って取りあってくれない．

花子が太郎の家に帰ってみると，彼は椅子に座ったまま絶望のどん底にあった．それを見て胸がいっぱいになった花子は，もう一度次郎を訪ねた．次郎の「条件」をのんで眼鏡の修理をしてきた．太郎は花子を抱きしめて何度も何度も感謝した．
　眼鏡をかけて落ち着きを取り戻した太郎は，次郎がなぜボートで送ってくれる気になったのか疑問に思った．しつこく尋ねる太郎にとうとう花子は事実を打ち明けた．太郎はカンカンに怒って婚約を解消し，花子を放り出した．
　腹を立てた花子は友達の強にすべてを話した．怒った強は太郎のところへ行って，修理したばかりの眼鏡を壊し彼を気のすむまで殴った．殴られてのびている太郎を見て花子は胸のつかえを下ろし，とても幸せな気分になった．

（*Values Clarification*, Hart Publishing Company Inc. N.Y.より翻案）

　あなたは誰が一番悪いと思いますか．正解はありません．友人の外国人はほとんどが「関係がない」と断った次郎の雇い主，五郎の名を挙げました．
　さて，この広告の3人の表わす意味は，「会社の方針だからと，社用車のデメリットに気づかないふりをしている」ということである．
　列車の利用をすすめるブリティッシュ・レイル（British Rail）の広告である．

X字型交錯法

Only Coca-Cola is Coke. Only Coke is Coca-Cola.
コカコーラだけがコーク　　コークだけがコカコーラ

ライバル会社のペプシコーラを意識したキャッチフレーズである．

　コカコーラだけがコーク
　コークと呼ばれるのはコカコーラだけです

もちろん，わざわざ高い広告料を払ってまでもペプシの名前は出さないが，アメリカではシェアも逆転され，何とかブランド名で巻き返しをはかりたいコカコーラ（Coca-Cola）の苦心作である．

シグネチャーラインは，

　Two special names.
　One special taste.
　特別な2つの名前（コカコーラとコーク）
　たった1つの特別な味

ヘッドコピーは Coca-Cola と Coke という言葉が is を間にして逆の位置にある．X字型交錯法(chiasmus)という手法である．

ペプシコーラとコカコーラは，コーラ戦争といわれるくらい激しい販売競争を展開している．日本でもテレビでコーラの比較広告が流され，大きな社会問題になったことがある．その後間もなくこの広告は姿を消し，ほかに比較広告は現われていない．比較広告はどんなに婉曲的であっても，他社あるいは他社製品をけなすことになる．それが日本人には馴染まないのではないかと思う．

婉曲語法

British jobs
イギリス人の仕事

British goods mean British jobs

"There is a worldwide demand for goods of high quality and value and there is no reason why they should not be made in Britain. Increased demand for British goods means more British jobs. If British leadership is determined, we can produce in Britain goods of high quality and value which today are often imported"

LORD SIEFF, Chairman.

SUPPORT FOR BRITISH INDUSTRY
- Over 90% of our clothing, home furnishings and foodstuffs that can be grown or processed in temperate climates are produced in Britain. We buy from abroad only when we cannot find innovation, high quality and value at home.
- Many Marks & Spencer suppliers have invested heavily in modern technology. They have further increased productivity, and the quality and value of their goods.
- More than 170,000 people in the U.K. today are employed making, distributing and selling St Michael goods.
- We are served by suppliers who are among the best in the world. Many have operated in partnership with Marks & Spencer for many years, sharing a common objective – to satisfy our customers.

TRADING HIGHLIGHTS
- We opened 316,000 sq.ft. of new selling space worldwide. This included 200,000 sq.ft. in the U.K., where we invested £100 million in building, fixtures and equipment.
- Between March 1982 and March 1983, the prices of our general merchandise increased by 1.5% and our foods by 2.3%.
- We increased volume sales as a result of improved quality and values.
- Total exports from the U.K. to our overseas customers and our stores in Europe and Canada amounted to £67.9 million.

GROUP RESULTS 1982-83
52 week trading period (last year 53 weeks).   £m

Group Total (excluding sales tax) up 14%	2505.5
Sales by U.K. Stores	2276.2
Direct Export Sales	27.6
Sales by European Stores	64.4
Sales by Canadian Stores	137.3
Group Profit before Tax up 7.7%	239.3
Group Profit after Tax up 12%	135.2

The total dividend for the year has been increased to 5.1p per share (last year 4.6p).

We believe that the problems facing our community today cannot be solved by Government alone. Business has a responsibility which goes well beyond paying taxes. Marks & Spencer's contribution to community work and charitable causes cost £2.5 million last year. We believe this to be a valuable investment.

Marks & Spencer

A copy of the full Annual Report can be obtained by writing to: The Secretary, Room C133, Michael House, Baker Street, London W1A 1DN.

「イギリス病」という言葉がある．何かというとすぐにストライキをするという意味である．

日本の労働組合はそれぞれの会社単位だが，イギリスやオーストラリアには産業別，職種別労働組合がある．トラック運転手と特殊機械の操作員は，同じ会社で働いていても違った労働組合に入っている．1つの会社に，職種によって異なるいろいろな労働組合員がいるわけである．

ある1つの組合がストライキに入ると，他の組合はストライキをしていなくても操業はストップしてしまう．別々の組合が別々の時期に次々とストライキをやると，その期間ずっと会社は操業できない．

オイル・ショックのとき，日本の多くの会社が経営危機に陥った．外国では不景気になるとその度合によって従業員が一時解雇（レイオフ）される．しかし日本では，残業がなくなり，ボーナスがなくなり，やがて全員が減給となっても，一時解雇は避けようとした．

数年前，オーストラリアのある缶詰工場が不景気で経営危機に陥った．従業員と経営者が話し合って，従業員は時間給を1ドル下げ経営者も給料カットをして，従業員の一時解雇を避けようとした．このことが公けにされると，全国労働組合の委員長が真先に反対した．これが先例となって，経営者が労働者の給料を下げようとする，というのである．

この缶詰会社の従業員たちは，誰がレイオフされてもこの深刻な不況では別の仕事を見つけるのは不可能であるというので，仲間が皆で苦しみを分かち合おうとしたのである．全国労働組合の委員長の反対にもかかわらず，缶詰会社はその計画を実行することにした．すると委員長はその会社への原材料の搬入，製品の搬出をトラック運転手組合に禁止した．

これがマスコミで報道されると大きな社会問題となった．委員長は州知事の説得にも耳を貸さず，一時はどうなることかと心配されたが，結局，首相自らが調停に乗りだし，時間給の下げ幅を計画の半分

にすることで委員長が妥協した．

　ストライキが多くなり品物の入荷が不安定になれば，ほかの会社ほかの国に取引き先を変える会社も出てくる．そうなると，やがて国全体が不景気になっていく．

　さて広告である．

　　　British goods mean British jobs
　　メイド・イン・イギリスこそがイギリスの景気につながります

アメリカでは「バイ・アメリカン（Buy American）：アメリカ製品を買おう」というスローガンとともに他国の製品をボイコットする運動が起こった．きわめて直接的で国際摩擦の起こりそうな表現である．

　イギリスのこの広告では，バイ・ブリティッシュとは言わない．ヘッドラインの意味は「イギリスの商品を買うのはイギリス人のつとめ」ということだから同じことなのだが，遠回しに言っているのである．このようにものごとをあからさまに言わず，相手を刺激しないように，できるかぎりやわらかく表現する方法を婉曲語法（euphemism）という．

　この広告のスポンサー，マークス・アンド・スペンサー（Marks & Spencer）はイギリス全土に支店を持つデパートである．

前後転倒法

winter was invented for...
冬が発明されたのは

ご存じお酒の広告である．寒い冬，戸外に出ているとき，一杯の酒が五臓六腑に浸みわたる．酒飲みの誰もが経験する．
　日本では風呂上がりにはビール，と相場が決まっている．イギリスやアメリカでは温まる酒を飲む．なぜか．
　イギリス人やアメリカ人はめったに風呂に入らない．といっても垢だらけというのではない．ふだんはシャワーを浴びるのである．イギリス人やアメリカ人が熱い風呂（hot bath）に入るのは，風邪を引いたときくらいである．普通の風呂はぬるま湯である．湯ぶねの中に浴用の粉せっけんやジェルを入れて，湯ぶねの中で身体を洗う．洗い終わって湯を流しシャワーを浴びた後では，身体は冷えてしまっている．そこで身体を温めるお酒を飲みたくなるわけである．
　さて，このヘッドラインは，酒のために冬が発明されたという．

　　　　It's what winter was invented for.
　　　　冬が発明されたのはこのためです

　常識と逆になっている．といっても，このことに私が反対しているわけではない．酒飲みが酒を飲むのに特別な理由はいらない．どっちが先であろうと，酒さえあればそれで満足．
　唐の詩人，白居易（白楽天）の詩の中に「林間，酒を温めて，紅葉をたく」という言葉がある．事実は，紅葉を燃やして酒を温めたということである．
　こういう表現方法を前後転倒（撞着）法（hysteron proteron）という．
　この広告のお酒ジンジャー・ワインはその名の通り，ショウガにレモン，干しぶどう，砂糖を混ぜて発酵させた飲み物だそうである．左下のコピーによれば，身体が温まる，単独で飲むだけでなく，ウイスキーで割ってもいいとのこと．ジンジャー・ワインとスコッチウイスキーが1：1，またはウイスキー2：ジンジャー・ワイン1のカクテルが Whisky Mac である．どちらの飲み方でもお好みの方をどうぞというのである．

ストーンズさん（Stone's）の結構なキャッチフレーズである。

今は冬。せっかく誰かが冬を発明してくれたのだ。呑んべえの私は早速一杯やることにしよう。

夏になったら，

It's what summer was invented for.

こういって赤提灯をくぐることにしよう。

余談であるが，筆者がアメリカに滞在したとき，アメリカ人の友人と一杯やることになった。

ビールを一口を飲んで「あー，うまい」と思わず声に出した。

友人が不思議そうな顔をして「このビールはまずいのか？」と言う。「とんでもない。最高だよ」と答えたが，「どうしてそんなことを聞くのか」と逆に尋ねた。「だって君，君は今一口飲んで，吐きそうな声を出したじゃないか」

喉を鳴らして「うまい！」といったことが，まずくて吐きそうな声に聞こえたのだった。

それ以来，最初の1杯のビールを静かに飲み干す習慣を身につけた。しかし，ここは日本，今日は身体いっぱい，最初の1杯を楽しむことにしよう。

交錯配列法

City living in the living city
活気ある町での町の生活

QUAY 430

City living in the living city

Quay 430 offers a unique style of living in a superb location. Quay 430, ideal for today's city

■ 1, 2 and 3 bedroom apartments and maisonettes, many with private gardens.

■ 60 styles of luxury apartments and houses set within landscaped courtyards.

■ Prices from £90,000 including car parking/garages.

Show apartments open
Weekday 12.00-7.00pm. Weekends 11.00-6.00pm
Quay 430, Vaughan Way, off Thomas More Street, London E1 9PT
Telephone: (0836) 273682

REGALIAN

APPRECIATE THE VALUE — VALUE THE APPRECIATION

分譲住宅，アパートの広告である．

ヘッドラインは，city と living の語順を変えるだけで全く違った意味になっている．city living は都会生活．living city は活気のある町．このように，同じ2つの単語の順序を逆にして使う方法を交錯配列法という．

ヘッドラインだけでなくシグネチャーラインにもコピーライターのセンスと工夫が感じられる．シグネチャーラインは対句法と呼ばれる手法である．

　　　Appreciate the Value
　　　Value the Appreciation
　　　価値を評価し，その評価に価値を置いてください

最初の value は「価値」という意味の名詞，次の value は「高く評価する」という意味の動詞である．appreciate は「鋭い眼識で真価を理解する」という動詞で，その名詞形が appreciation である．名詞，動詞ともに value とよく似た意味の単語である．

イギリスの家には次のような種類がある．

一戸建ての独立した家（detached house），屋根の真ん中，大棟から2つに分けた2軒分1棟の家（semi-detached house），連続した棟の1軒分（terraced house），普通のアパート（flat），上下階が一組みになったアパート（maisonette）．

　　ロンドン市内，アパート，一戸建て等，60スタイル．
　　駐車場，ガレージつきで90,000ポンドより

とある．1ポンドを200円前後とすると約1,800万円である．

広告にある Quay 430 という地区はロンドン塔に近い，優雅でファッショナブルな再開発地区である．テムズ川のマリーナがあり，高級なイメージの住宅街となっている．

不動産会社リーガリアン（Regalian Properties）の住宅販売広告である．

矛盾語法

costs 80p
80ペンス

The one thing money can't buy costs 80p

Your Health
The new monthly magazine written by doctors. At your newsagents now.

p（ピー）はイギリスの貨幣単位で，ペンスのことである．
　　The one thing money can't buy costs 80p
　　お金で買えないものが80ペンス
このヘッドラインの「お金で買えないもの」とは健康のことであるが，お金で買えないものが80ペンスで買えるとは，全く矛盾した文章

である．このような手法を修辞学的には矛盾語法（antinimy）という．

　飽食の時代になり，人々はダイエットに熱中し，昔は学校の保健室にしかなかった体重計が一家に1台はあるといわれている．太っていることが美徳であった時代は遠い過去となった．ウエストが1センチ太くなると寿命が3年縮むという．

　一日でも長生きしたいと思うのは誰でも同じである．散歩，ジョギングという金のかからない健康法から，入会金ウン十万円というヘルスクラブに至るまで世はまさに健康ブーム．エアロビックス，ヨーガ，ビタミン剤，と金をかければ何でもある．スポーツは楽しみから，自分で自分に課した労役のようになった．

　ロンドン大学で学ぶ友人によると，フィットネス・クラブの年会費は大学の付属クラブで50ポンド，YMCAで120〜150ポンド，会員制のクラブで600〜2,000ポンドという．

　広告はいう．

　　　大金を使わずにたったの80ペンスであなたの健康が買えます．
　　　それは，医者が執筆するこの新しい月刊誌 *Your Health*（『あなたの健康』）を購読することです．

誇張法—1

Prepare for war.
戦争に備えよ

　まことにぶっそうなヘッドラインである．
　戦争の当事者にはいかなる戦争も「聖戦」である．民衆はいつも為政者に踊らされ，戦場へと駆り立てられていく．兵士にとって戦争は殺すか殺されるかどちらかである．「聖戦」という名のもとに父母兄弟や子供たちをおいて男たちは戦場にかり出され散っていった．犠牲者は男たちだけではない．息子を，父を，夫を失った家族も悲惨であった．
　ベトナム戦争の頃のアメリカの若者は，ヒッピーになって兵役から逃れようとした．
　義兄は酒に酔うといつもいう．「あの頃，20歳までは生きていたいと願っていた」
　さて，広告に戻ろう．

幸いにもこのヘッドラインが意味する「戦争」は人間を殺す戦争ではない．庭の花につく虫や雑草との戦いである．

　　　Know Your Enemy
　　　Check Your Ammunition
　　　Invest in Superior Firepower
　　　敵を知れ
　　　弾薬をチェックせよ
　　　優れた火器(武器)を買え

というのである．そして，

　　　Win the war in your garden.
　　　庭での戦いに勝利せよ

と続く．孫子の兵法というのがある．「敵を知りおのれを知るは，これ百戦危うからず」，まさにこれである．

　庭の虫や雑草には気の毒だが，この戦いの主役はキラースプレー（Killaspray）というASL社の殺虫剤である．killer（殺し屋）とspray（スプレー）を合成した製品名である．

　このように，大げさな言葉や文章を使う方法を誇張法（hyperbole）という．

誇張法— 2

take off your clothes
裸になる

HOW DO YOU FEEL ABOUT TAKING OFF YOUR CLOTHES IN PUBLIC?

60 YEARS

You may be someone who likes knocking 'em in the aisles.

But we believe most people welcome the privacy of fitting rooms.

All C&A stores have them.

That's one of the ways we interpret the words "service to the customer."

That's why we offer the convenience of Budget Account cards, extra care in quality control, modernisation of existing stores, new stores opening every year, exceptional value, a no-fuss money back policy if ever you're not entirely satisfied.

And, always, the plus we're famous for, great fashion. You'll find it in every department, from ladies' wear to babywear.

Amazingly, it's our 60th birthday this year. It seems the older we get, the younger we look!

If you haven't visited a C&A store lately, come in and see the difference.

C&A
WHERE VALUE IS
ALWAYS IN FASHION

昔，ストリーキング（streaking）というものが流行った．ストリーキングは，裸になって大勢の人のいる場所を走り抜けていくことである．大通り，繁華街はもちろん，試合中の野球場の中にまでストリーカー（裸で走る人）が現われた．プロ野球のテレビ中継中のこともあった．

　アメリカで始まったストリーキングはまたたく間に全世界に広まった．男性だけでなく女性のストリーカーもいた．

　よほど自分の身体に自信のある人たちだったのだろうか．真っ裸になって，人をびっくりさせ，大笑いをさせるのが好きな人もあるだろう．しかし，たいていの人はこんなことは恥ずかしくてやろうとも思わない．

　そこで，このデパートのヘッドライン．

　　　　How do you feel about taking off your clothes in public?
　　　　公衆の面前で服を脱ぐのはどんな気持ちですか

どきっとさせられるが，ボディコピーを読んでみれば，

　　　　お客さまは服の試着には個室をお望みと考えます．
　　　　そこでC＆Aデパートではこのたび，創立60周年を記念してどの店にも試着室を作りました．
　　　　当デパートは，お客さまへのサービスという言葉はこんなふうに，お客さまに喜んでいただけることを1つ1つ実行していくことと解釈しております．

とのこと．人前で裸になるなどという物騒な言葉は，何のことはない，服を試着するときの話である．これもおおげさな言葉を使って注意を引く，誇張表現である．

　日本人の我々にすれば，試着室を作ったくらいでお客さまへのサービスと大騒ぎするのも，誇張表現―誇大宣伝の類である．

誇張法— 3

If you die
あなたが死んだら

If you die, will your wife start seeing other men?

中国の戦国時代の哲学者孟子は，早くに父を亡くし母の手ひとつで育てられた．孟子の母は我が子の教育のために3度も住む場所を変えたという．最初は墓地の近くに住んでいたが，孟子がお葬式のまねをして遊んだ．ここは我が子を育てるのに適した場所ではないと市場の近くに移った．すると今度は，孟子が商人のまねをして物売りの声で遊びだした．孟子を学者にしたかった母は，ここも教育に良くないと今度は学校の近くに住まいを移した．するとそれから孟子は勉強のまねをしてそれを遊びとした．この場所こそこの子を育てるのに最もふさわしいと，そこからは動かなかった．これが有名な「孟母三遷の教え」である．

　親の気持ちというのはまさにこういうものだ．これは今も昔も変わらない．子供のことなんかどうでもいい，と男に走り女に走る無責任な親がいることも否定できない．しかしながら，大多数の親は自分のことを犠牲にしても子供の幸せを優先するものである．

　　　If you die, will your wife start
　　　seeing other men?
　　　あなたが亡くなったら，奥さんは
　　　ほかの男性と会いはじめるのでしょうか？

　自分がもし死んだら，夫は妻はどうなるのだろう．子供はどうなるのだろう．それが夫や妻，父や母の不安である．

　自分の死後について，妻の生活だけに心を配る男性もいようが，小さい子供を持つ父親は子供たちの将来を心配するものである．学校のこと，毎日の生活費，それを思うと死んでも死にきれない．同時に男とすれば，愛する妻が生活のために男を探しはじめると思うこともたまらない．できれば，子供の教育，一家の生活が心配ないだけのものを残しておきたい．

　広告は，男の「家族への愛情」「妻への思いやり」に訴えかけるヘッドラインである．財産のない者が死後に妻や子供たちに残してやれるものは「保険」しかないではないか．

この広告のヘッドラインの other men（ほかの男性）には2つの意味がある．1つは家のローンをはじめとする借金の取り立てにくる男たち．もう1つがいわゆる「あとがま」の男である．

　欧米では，働く女性が増え，女性の経済的自立がめざましく，同居はしてもいわゆる従来型の結婚はしないという女性も珍しくなくなっている．フランスでは，そんなカップルにも結婚の恩典を一部与えるために，法律を変えるというニュースがあった．それでも従来の結婚の形に固執する人々，結婚後は主婦として家庭に入る女性もまだまだ多い．女性の経済的自立が確保されている場合には，夫（パートナー）が亡くなっても，精神的な寂しさは別として，経済的に苦しむことは少ない．夫の給料だけで生活していたり，妻が働いていても夫の給料を中心に生活をしている場合には，夫がなくなるとその影響をもろに受けることになる．

　そこでこのコマーシャルはいう．

　家のローンに子供の教育，税金に生活費．たちまち明日からの生活に困ってしまう．アンティークの柱時計を売ってと考えても，古道具屋は250ポンド以上は出せないという．働こうとしても，時給2.5ポンドではどうにもならない．こうなると次の男性を見つける以外生活を守る方法がないではないか．結局，妻の幸せは，最後の最後まで夫であるあなたの責任です．

　責任感の強いお父さんに呼びかける，生命保険会社オールバニー・ライフ（Albany Life）の脅迫的ヘッドラインである．

連辞畳用

She collects as she cuts as she drives.
便利な芝刈り機

　乗り物が擬人化されると船も自動車も飛行機も女性として扱われる．代名詞はsheである．このことからこの広告のsheは，写真の女性とも芝刈り機ともとれる．それがコピーライターのねらいなのだろう．

　この短い文章の中で接続詞(連辞)asが2度使われている．このように接続詞を何度も使う手法を連辞畳用(poly-syndeton)という．

　ウェストウッド社(Westwood)の芝刈り機は後ろから押すのではなく上に乗って操作することができる(she drives)．芝を刈りながら(as she cuts)，刈り取った芝や，枯葉や苔を集めてゆく(she collects)．

　この一連の仕事が同時に，連続して繰り返し行なわれることをイメージとして伝えるには，このヘッドラインのように，接続詞(連辞) asを1つの文章の中で多用する「連辞畳用」が最も効果的である．

black and white
黒と白

THE FACTS ABOUT OUR WORKFORCE IN BLACK AND WHITE.

The face of Welsh industry has changed dramatically in the past few years.

So, indeed, has the face of our workforce.

Because most of what we produce these days comes from above ground.

Rather than below it.

In fact, the high technology and engineering industries now account for around 40% of our manufacturing employment.

Which has to be a change for the better.

Yes, there have been redundancies.

But there have also been thousands of jobs created by hundreds of companies new to Wales.

We're host to a host of household names.

Like Sony. Whose chairman, Mr. Akio Morita, has gone on record as saying that productivity and labour relations at his Bridgend plant are every bit as good as back home.

Small wonder then that Aiwa, National Panasonic and GEC-Hitachi live practically next door.

Our manpower makes Ford's horse power, too. Escort engines to be precise.

And there are no prizes for guessing where Control Data and BICC are based.

Of course, we're delighted by the arrival of so many new faces.

Because together, they're changing ours.

For more information about what Wales has to offer your business call Ted Cleaveley or David Morgan on Treforest (044385) 2666.

Or complete the coupon.

WELSH DEVELOPMENT AGENCY

Please tell me how my business would benefit from a move to Wales.
☐ factories available ☐ investment funds

Name_____
Position_____
Nature of business_____
Company_____
Address_____

ST/27/82

Tel.No._____
To: Welsh Development Agency, Pontypridd, Mid Glamorgan, CF37 5UT.

black and white といえば普通は，カラーでないもの，白黒の印刷，白黒映画，白黒テレビ等を意味するが，時には，白か黒か，善か悪か，右か左かをはっきりさせるのにも使われる．

　black or white といえば，白か黒かという意味である．この場合の black は日本語の黒のイメージとよく似ている．

　英和辞典の black の項には，「前途の暗い，不吉な，悪魔の，険悪な，腹黒い，凶悪な」などすべて良くないことを表わす言葉が意味として書かれている．

　一方 white は，「罪のない，けがれを知らない，善意の，悪意のない」等すべて良いことを表わす言葉が並んでいる．日本語ではあまり使われないけれども，ブラックリストの反対に white list（好感を持たれている人のリスト）という言葉もある．

　さて，この広告のヘッドラインのブラックとホワイトであるが，炭鉱で働く黒い顔とオフィスで働く白い顔という色そのものの意味以外に，ホワイトはホワイトカラー（事務労働者，反対はブルーカラー）の意味もある．

　　　The facts about our workforce in black and white.
　　　黒と白で示す雇用労働者の実態

　ウェールズは，かつては炭鉱が主な産業だった．しかし今は，ソニーが，アイワが，ナショナルが，そして日立がやって来た．今や，ウェールズはホワイトカラーが大部分を占めている．新しくやって来る企業に応える労働者もいる．

　新しい企業のウェールズへの進出を誘うウェールズ開発局（Welsh Development Agency）の呼びかけである．

色 — 2

red and pink
赤とピンク

> While your friends are getting into the red in St.Tropez, you'll be in the pink at the Harvey Nichols Sale.
>
> You'll find huge reductions in all ›artments, with many items at half price, including Designer Collections, Separates and Knitwear, Shoes, Fashion Accessories, Leisurewear, Menswear, Childrenswear, Revillon Furs, Furniture, China, Glass, Linens and Greens Electrical. You'll also find attractive introductory offers in our new Carpets and Beds Department.
>
> Harvey Nichols, Knightsbridge, London SW1.
> Sale starts Thursday, 9.30-7.

色彩を表わす言葉とイメージは文化によって違うことがある。

例えば，交通信号は日本語では赤，青，黄と言うが，英語では red, green, orange である。また日本の子供たちの太陽の絵は赤だが，アメリカやヨーロッパの子供たちが描く太陽は黄色である。

また，意味も言語に特有のものがある。

red tape という言葉がある。イギリスでは昔，公文書を赤いテープでしばって保管していた。そのことから今ではイギリスでもアメリカでも官僚を指し，官僚主義を意味するようになった。

簿記学では超過支出を赤インクで記入した。このことから，いわゆる「赤字」という表現が生まれた。このコピーのヘッドラインにある get into the red は，文字通り

「赤字財政になる」ということである．

　　　While your friends are getting into the red in St. Tropez,
　　　you'll be in the pink at the Harvey Nichols Sale.
　　友人がサン・トロペで真っ赤になっている間に
　　ハーヴェイ・ニコルズのセールであなたはピンク

　サン・トロペは，地中海沿岸にあるフランスのリゾート地．女優ブリジッド・バルドーの愛した町，世界中の金持ちのプレイボーイ，プレイガールの集まる町の名前である．カジノがあり，日夜賭事が行なわれ，海岸では水着姿の男女が戯れている．お金がいくらあっても足りない町，それがサン・トロペである．

　pink は，元気な人の肌がピンクに見えることから，in the pink というと，元気いっぱい，はつらつとしていることを意味する．

　広告主のハーヴェイ・ニコルズ（Harvey Nicols）はロンドンのデパートである．ダイアナ元皇太子妃が買物をすることでも有名になった．高級デパートのバーゲンセールは洋の東西を問わず，買い物客であふれるものである．以前，ロンドンの高級デパート，ハロッズのバーゲンセールに人々が殺到し，怪我人まで出たことがある．次の日のサンデー・タイムズには「イギリス人のたしなみは死んだ」という見出しがあった．

　このヘッドラインの意味するところは，「友人がサン・トロペで借金を作っている間に，あなたはハーヴェイ・ニコルズのバーゲンでニッコニコ」ということである．

数式

2D
お得な蛍光灯

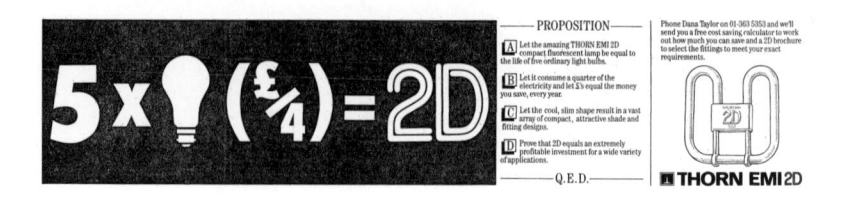

　コンピュータの時代である．情報とデータの時代ともいえる．そして，データとして数字が出てくるとそれを鵜のみにしてしまう．また，数字はそれを使う人の意図によって意味が変わってくる．

　筆者の住む町は簡易水道である．その水源は大川の伏流水である．水量は豊富で，その水質も良い．これに目をつけた市の水道局が，その水源を工業用水に使いたいと言いだした．毎秒何十トンもの水を取るのである．住民は渇水期を心配した．市側は影響を調査してデータを出すことを約束した．

　1年後に説明会が行なわれた．委託された業者の調査結果が発表されたが，影響を示す数値は現われなかった．そのデータを根拠に市は水源地の使用を迫った．

　そこで，おずおずと質問をした．そのデータを取った日時とそのときの大川の水の量を尋ねたのである．

　データは6月の梅雨のころ，水が堰の上をオーバーしていたときのものであった．そこで初めて我々は市の欺瞞に気づいた．帽子を注文したのに靴を持ってきてもらっては困る．もう一度渇水期のデータを出すように要求した．市の水道がくれば無料で水道が引けると喜んだ人たちも，それだけの水を取られてはハウス農業に使っている地下水がなくなると分かって沈黙した．

市はその後データを示さない．おかげで日本で一番安い水道代が今も続いている．近所にある JA（農協）でも1か月の水道料金は2～3,000円である．毎晩風呂水を取る我が家の1か月の水道料金は500円から1,000円までである．それ以上のときは水道管が壊れているのである．

　一番信用のできない数字は広告の中の数字である．スポンサーの意思でがんじがらめになっている数字もある．比較広告の数字は部分的には正しくても，視点が変わると数字の使い方が変わり，数字そのものまでが違って感じられることもある．1年間に要する費用を36,000円と言わず，1日たったの100円と言うようなことである．

　さてこの広告は数式をヘッドラインに使った例だが，最初の5は5年，次の£（ポンド記号）は消費電力料金を意味し，2Dは蛍光灯の製品名である．

　　　　$5 \times £/4 = 2D$

　　　当社の蛍光灯，2Dは電灯と比べると，

　　　5年長くもち，電気料金は4分の1

というのである．

　この数字が正しいかどうか筆者には分からない．

心に訴える

room in your heart
心の部屋

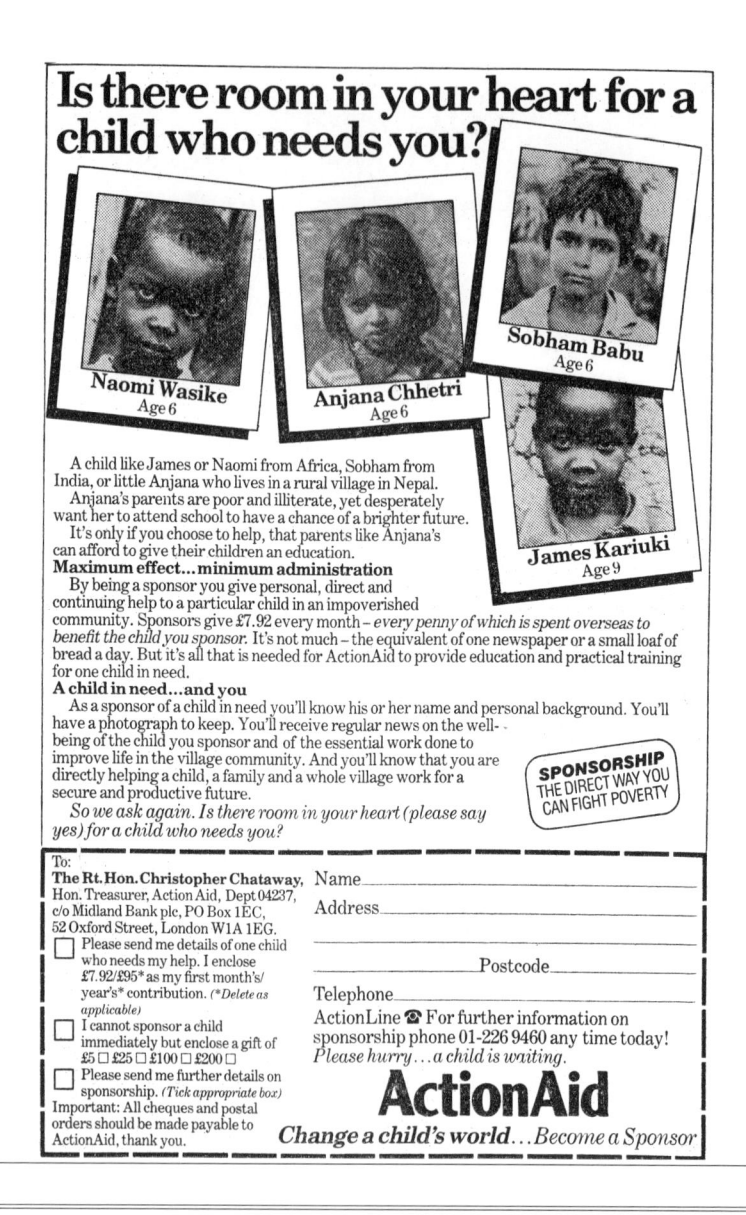

Is there room in your heart for a child who needs you?

Naomi Wasike Age 6

Anjana Chhetri Age 5

Sobham Babu Age 6

James Kariuki Age 9

A child like James or Naomi from Africa, Sobham from India, or little Anjana who lives in a rural village in Nepal.

Anjana's parents are poor and illiterate, yet desperately want her to attend school to have a chance of a brighter future.

It's only if you choose to help, that parents like Anjana's can afford to give their children an education.

Maximum effect...minimum administration

By being a sponsor you give personal, direct and continuing help to a particular child in an impoverished community. Sponsors give £7.92 every month – *every penny of which is spent overseas to benefit the child you sponsor*. It's not much – the equivalent of one newspaper or a small loaf of bread a day. But it's all that is needed for ActionAid to provide education and practical training for one child in need.

A child in need...and you

As a sponsor of a child in need you'll know his or her name and personal background. You'll have a photograph to keep. You'll receive regular news on the well-being of the child you sponsor and of the essential work done to improve life in the village community. And you'll know that you are directly helping a child, a family and a whole village work for a secure and productive future.

So we ask again. Is there room in your heart (please say yes) for a child who needs you?

SPONSORSHIP
THE DIRECT WAY YOU CAN FIGHT POVERTY

To:
The Rt. Hon. Christopher Chataway,
Hon. Treasurer, Action Aid, Dept 04237,
c/o Midland Bank plc, PO Box 1EC,
52 Oxford Street, London W1A 1EG.

☐ Please send me details of one child who needs my help. I enclose £7.92/£95* as my first month's/year's* contribution. *(*Delete as applicable)*

☐ I cannot sponsor a child immediately but enclose a gift of £5 ☐ £25 ☐ £100 ☐ £200 ☐

☐ Please send me further details on sponsorship. *(Tick appropriate box)*

Important: All cheques and postal orders should be made payable to ActionAid, thank you.

Name_____
Address_____
_____
_____Postcode_____
Telephone_____

ActionLine ☎ For further information on sponsorship phone 01-226 9460 any time today!
Please hurry...a child is waiting.

ActionAid
Change a child's world...Become a Sponsor

イギリスの奉仕団体アクション・エイド（Action Aid）の募金広告である．Action Aid は貧しくて教育を受けられない外国の子供たちに経済的援助を与えようとする団体である．

 Is there room in your heart for
 a child who needs you?
 困っている子供のための場所は
 あなたの心の中に残っていませんか？

活動にはお金がかかる．そこでアクション・エイドは，毎月7.92ポンドを寄付してくれるスポンサーを募集する．寄付された7.92ポンドが1ペニーたりとも無駄にならないように，里親制度を採用している．里親にはスポンサーとなった子供の名前と写真をはじめ，家庭の状況など個人に関することがまず知らされる．以後，定期的にその子供の学校での活動状況などが知らされることになっている．

イギリス人，アレック・ディクソン博士（Alec Dickson）は世界の奉仕活動の父と呼ばれている．第二次世界大戦時，彼は新聞記者としてヨーロッパ，アフリカの惨状を見てきた．大戦後，彼はアフリカの学校教育を援助するボランティア団体を組織した．

アメリカ第35代大統領ケネディ（John Fitzgerald Kennedy）は，平和部隊（Peace Corps）という形で博士の考えを実行した．日本の「海外青年協力隊」も同様である．その後博士は，それぞれの国が自国内で行なうボランティア活動の大切さを訴え，世界中を講演してまわった．日本でも各地の大学や施設で講演した．

博士はこの運動を「コミュニティ・サービス」と名づけ，自らもロンドンに「コミュニティ・サービス・ボランティア」という事務所を構えて活躍している．「奉仕というのは，特別な人が特別な時間に特別なことをすることではない．奉仕はそれ自体が我々の生活である」これが博士の基本理念である．

健常者だけが障害を持つ人を助けるのではない．目の不自由な人と耳の不自由な人が声の出ない人と協力し合うことは可能である．互い

に助けながら助けられる．問題と問題をうまく組み合わせれば解決が見出されることがある．これが博士の説く「生活の中のボランティア活動」である．

　たとえば，ロンドンのある非行少年の話．

　彼は人が信じられず，自分も信じられず，非行を繰り返した．少年院でも問題児であった．しかし見かけと違って，寂しがりやでやさしい性格の持ち主であった．そこで博士は彼に5歳の盲目の少女の世話をさせることにした．少女は両親の都合で施設の世話になっていた．

　最初のうちはつっけんどんにあしらっていた彼も，自分を頼る少女のために本を読んでやるようになった．お話もしてやるようになった．

　もちろん曲折もあったが，盲目の少女に比べて何不自由ない自分の健康な身体のありがたさに気づいた．頼られ，信じられ，人の役に立つ喜びを知った．この自覚と自信によって彼は変わった．助けた彼もまた助けられたのである．

　イギリス，アメリカ，オーストラリアの多くの小・中学校では，コミュニティ・サービス（地域奉仕）が正課授業の中に組み入れられている．

　イギリスのある小学校では病院から車椅子を借りてきて，3人ひと組みで町に出ていく授業をした．各グループはそれぞれテーマを持って出かけた．あるグループは図書館へ本を借りに行った．図書館のカウンターは高すぎた．あるグループは映画館に入った．車椅子が通路をふさぐといって，法律をたてに映画を見せてもらえなかった．あるグループは市役所で電話をかけた．電話ボックスの入り口に敷居があって入りにくかった．

　これを全部持ち寄ってどうすべきか討論が行なわれた．市民団体には冷たいお役所も子供たちには好意的である．子供たちの提案はスムーズに受け入れられた．

　映画館には，取りつけてある椅子を2，3個はずして，そこを車椅

子専用にするように提案した．車椅子の生活を余儀なくされていた人たちの喜びは当然であるが，映画館は車椅子の人たちが見に来ることで収入が増えた．実際，この映画館ではその後車椅子の専用席を増やしたほどである．

　子供たちが自分たちの社会について勉強したことはもちろん大きな収穫であるが，もっと大きなことは，自分の住む町を自分たちの努力で改善することができたという子供たちの達成感と喜びである．これによって得た自信，社会に対する信頼は本人たちだけでなく，この国の大きな財産でもある．

　どんな運動にもお金がかかる．お金でなければ解決しない問題もある．

　　　　　あなたの心の中に，この子たちの住む場所はありませんか？

　複雑なレトリックの手法は使っていないけれども，心にしみる募金広告のヘッドラインである．広告の本来の目的は見る者，聞く者に広告主の望む行動を起こさせることである．広告の原点を思わせるヘッドラインである．

No comment.
ノー・コメント

NO COMMENT.   INTERHOME
The specialists for hotels and holiday apartments

貸し別荘の宣伝である.
筆者もあとは　ノー・コメント！

あとがき

　この本ができあがるまでにはいろいろな方のお世話になりました．
　ある年の高校野球選手権徳島大会のネット裏，徳島新聞社の山内正人記者から「何か英語が楽しくなるような本はありませんか」とたずねられた．「英語のコマーシャルはおもしろいですよ」と答えた．「そんな本を作ってくださいよ」
　これがきっかけであった．おもしろコマーシャルを100ばかり選んで，解説を加えた．しかしそれができあがる前に彼は幽冥境を異にしてしまった．ご冥福をお祈りして感謝に変えたい．
　少々の紆余曲折を経て，図々しいと思ったけれども，大修館書店さんに原稿を送った．出版会議をパスしたと，編集部の河合久子さんからお電話をいただいたときには天にも昇る心地であった．ただそのときの私の原稿は，いわば，山野のさまざまな木や花を好き勝手に切ってきたようなものであった．それをすべて切り口をそろえ，季節や，種類に応じて分類整理していけてくださったのが河合久子さんでありました．心からお礼を申し上げます．
　亡き両親と，かつて私が人生のピンチに立っていたときお力添えをいただいたすべての人に，感謝を込めてこの本をささげます．

青木茂芳

[著者略歴]

青木茂芳（あおき　しげよし）
1941年生まれ。1964年立教大学文学部英米文学科卒業。1968-69年アメリカ合衆国文部局(省)招聘教官。1980年イギリス, レディング大学留学。アメリカ合衆国バルティモア市名誉市民。阿南工業高等専門学校名誉教授。元四国大学文学部英米文化学科教授。著書に『小さな目を通して』, 『アフリカの真珠──ウガンダ』(以上, 教育出版センター)。訳書に『地域奉仕と教科学習』(アレック・ディクソン著, 阿南工業高等専門学校)。その他『ジーニアス英和大辞典』(大修館書店)の部門担当校閲・執筆・資料作成。

英語キャッチコピーのおもしろさ

Ⓒ Shigeyoshi AOKI 2000　　　　　　　　NDC674/198p/21cm

初版第1刷──2000年4月20日
第4刷──2019年7月20日

著者────青木茂芳
発行者────鈴木一行
発行所────株式会社　大修館書店
　　　　　〒113-8541　東京都文京区湯島2-1-1
　　　　　電話　03-3868-2651（販売部）　03-3868-2293（編集部）
　　　　　振替　00190-7-40504
　　　　　［出版情報］https://www.taishukan.co.jp

装丁者────下川雅敏
カバー写真撮影────雨宮　淳
印刷所────三松堂
製本所────難波製本

ISBN978-4-469-24449-6　　　　　Printed in Japan

Ⓡ本書のコピー, スキャン, デジタル化等の無断複製は著作権法上での例外を除き禁じられています。本書を代行業者等の第三者に依頼してスキャンやデジタル化することは, たとえ個人や家庭内での利用であっても著作権法上認められておりません。